Harper Al

Sa devise ? « Ecris sur ce que tu connais ». Et ce que Harper Allen connaît le mieux, c'est le décor de son enfance : des personnages bien trempés, une petite commune rurale repliée sur ses secrets. Pas étonnant donc que ses romans soient teintés de réalisme et marqués du sceau de la vérité… romanesque bien sûr. Les lectrices ne s'y sont pas trompées, qui apprécient également son expérience de journaliste spécialisée dans les affaires criminelles, et ses origines irlandaises, qui donnent à ses personnages un relief particulier.

La mémoire piégée

HARPER ALLEN

La mémoire piégée

COLLECTION
INTRIGUE

Cet ouvrage a été publié en langue anglaise
sous le titre :
GUARDING JANE DOE

Traduction française de
VALÉRIE MOULS

HARLEQUIN®

est une marque déposée du Groupe Harlequin
et Intrigue® est une marque déposée d'Harlequin S.A.

Photos de couverture
Femme : © STEVE PREZANT / CORBIS
Homme dans un hangar : © JUSTIN PUMFREY / GETTY IMAGES

83-85, boulevard Vincent-Auriol, 75013 PARIS — Tél. : 01 42 16 63 63
Service Lectrices — Tél. : 01 45 82 47 47
ISBN 2-280-17028-0

Prologue

S'il n'avait pas reçu cette lettre, ce jour-là, Quinn McGuire n'aurait jamais entendu parler de Jane Smith.

Il s'apprêtait à sortir de chez lui pour passer un coup de téléphone discret du café qui faisait l'angle de sa rue. Si son interlocuteur lui proposait une somme suffisamment conséquente, Quinn prendrait sans doute le premier avion… Mais au moment où il enfilait son vieux blouson de cuir, on frappa un coup hésitant à la porte, et une voix âgée retentit.

— Monsieur McGuire ? C'est Agnès Lavery, votre voisine du dessous. J'ai du courrier pour vous.

Quinn savait qu'aucun objet compromettant ne traînait dans la pièce — il se montrait toujours très prudent. Mais avant de déverrouiller les serrures haute sécurité installées par ses soins dès son emménagement, il jeta néanmoins un dernier coup d'œil autour de lui.

Il ne vit que l'innocente tasse à café abandonnée sur le comptoir qui séparait le coin cuisine du salon, et le journal du matin, plié en deux sur la table.

Se méfier de tout et de tout le monde : c'était sa devise personnelle. Sans cette prudence de tous les instants, jamais il n'aurait survécu jusqu'à sa trente et unième année…

De fait, avec ses soixante-quinze ans passés, la frêle Mme Lavery ne représentait a priori aucun risque. Mais n'était-ce pas exactement le genre de raisonnement qui avait dû traverser l'esprit de Paddy Doyle, une fraction de seconde avant qu'il n'ouvre la porte à son assassin ? songea Quinn avec amertume. Une fraction de seconde avant qu'un membre de l'armée rebelle n'anéantisse à jamais ce grand Irlandais jusque-là invulnérable.

Quinn neutralisa le système d'alarme et décrocha la chaîne de sécurité. Avant d'ouvrir la porte, il ferma les yeux un instant.

Il n'arrivait plus à se rappeler dans quel pays ni durant quelle guerre… Il revoyait seulement le trou béant dans la poitrine de Paddy, la vie qui s'en écoulait doucement sur le pavé poussiéreux, l'éclat de ses yeux bleus s'éteignant dans un dernier sourire.

— Et voilà, mon pote, avait murmuré Paddy.

Sa voix n'était plus qu'un filet rauque.

— Quand tu entendras passer les oies sauvages, regarde le ciel ; je serai avec elles, à la recherche d'un refuge.

Du sang presque noir avait souillé ses lèvres et dans un dernier soupir, Paddy était mort.

La morale de cette histoire, s'il y en avait une, c'était qu'on ne devait jamais se fier à la chance. Car à la moindre occasion, elle s'empressait de vous trahir.

Quinn ouvrit la porte et sourit à la vieille dame fragile qui se tenait devant lui, une lettre à la main.

— Vous êtes un ange, madame Lavery, déclara-t-il en laissant traîner dans sa voix un accent irlandais plus soutenu que de coutume.

Il tendit la main vers la fine enveloppe bleue portant la mention « Par Avion ».

— Je vous suis vraiment reconnaissant de relever mon courrier. Sans vous, il s'accumulerait dans ma boîte aux lettres, et c'est un des premiers indices qui alertent les voleurs. Mais comment va votre mari, aujourd'hui ?

Mme Lavery était d'humeur bavarde ce jour-là. Durant près d'un quart d'heure, elle se répandit en considérations sur la santé de son époux, celle de ses petits-enfants, et se lança dans la description détaillée des biscuits qu'elle avait l'intention de préparer pour les fêtes de fin d'année. Le temps de se débarrasser en douceur de la vieille dame, Quinn avait presque mémorisé la recette de la gelée aux framboises.

Enfin, il put refermer et verrouiller la porte derrière elle. D'abord, il vida son esprit de toute pensée. Puis, baissant les yeux sur l'enveloppe qui venait de lui être remise, il serra les mâchoires, et l'expression affable avec laquelle il s'était efforcé d'accueillir sa voisine disparut aussitôt.

Envoyée une semaine plus tôt, la lettre venait de Belgique. Mais une écriture différente de celle à laquelle il était habitué depuis bientôt sept ans en noircissait l'enveloppe. Quinn en devina immédiatement le contenu. Le visage fermé, il déchira l'enveloppe pour s'intéresser à l'unique feuillet qu'elle contenait.

« Cher monsieur McGuire… »

C'est ainsi que commençait la lettre.

Il ne put réprimer un sourire. Bien qu'elle l'eût vu nu des centaines de fois, elle n'avait jamais pu se résoudre à l'appeler par son prénom. Comme il reprenait sa lecture, son sourire se figea.

« Vous devinez sans doute la raison pour laquelle je vous écris. Les médecins disent que les jours, les heures peut-être, qu'il me reste à vivre sont à présent comptés. J'ai déjà fait mes adieux à tout le monde ici. Et après ce dernier au revoir, je pourrai me préparer en toute quiétude à ce qui m'attend. Mais le but primordial de ce courrier est de vous rappeler que vous avez une dette envers moi, monsieur McGuire. Le temps est venu à présent de vous en acquitter… »

Stupéfait, Quinn s'interrompit pour se concentrer sur cette dernière phrase. Malgré l'écriture hésitante, il avait bien lu. Ce qu'il tenait à la main ressemblait bel et bien à un rappel de facture impayée… Il reprit sa lecture.

« Quand je vous ai ramené à la vie et soigné de mon mieux, il y a de cela des années, je n'attendais bien sûr rien en retour. C'est vous qui avez insisté sur le fait que vous m'étiez redevable. Depuis, à maintes reprises, vous m'avez rappelé qu'il me suffisait d'annoncer le prix à payer pour que vous vous acquittiez avec plaisir de cette dette. Monsieur McGuire, voici mon prix, donc. Je tiens à vous charger d'une mission. C'est une mission particulière, pour laquelle vous devrez utiliser les talents et les aptitudes dont vous avez fait preuve en guerroyant de par le monde. Mais cette fois, il vous faudra les dédier à une autre cause. Votre rôle sera plus celui d'un protecteur. Quand l'opportunité s'en présentera, vous le saurez, et… »

Ce qu'elle avait voulu ajouter n'avait jamais été écrit. La lettre s'arrêtait là, avec une tache d'encre au bas de la page.

Comme pour échapper à la morsure brutale du chagrin, Quinn pressa un instant ses paupières l'une contre l'autre. Puis, retournant machinalement la feuille dans ses mains, il découvrit un post-scriptum au dos de la lettre.

« Monsieur McGuire,

» Sœur Bertille n'a jamais pu terminer ce courrier à votre intention. Mais avant de sombrer dans l'inconscience, elle m'a demandé de m'assurer que cette lettre parviendrait bien à 'son cher Quinn'. C'est ainsi qu'elle avait l'habitude de vous appeler. Je sais que vous occupiez une place privilégiée dans son cœur. Et ici, nous continuerons toutes à prier pour vous et pour votre salut, ainsi que nous l'avons toujours fait depuis l'arrivée de sœur Bertille parmi nous. »

C'était signé par la mère supérieure du couvent situé en Belgique dans lequel sœur Bertille avait accepté de se retirer quand son cancer s'était aggravé, observa Quinn, l'esprit comme engourdi. Apparemment, quelque part au cœur de ce petit pays, il y avait un groupe de religieuses qui l'appelaient par son prénom et qui s'étaient donné pour tâche de sauver son âme.

Quinn sentit un muscle se contracter dans sa mâchoire et il froissa la lettre dans son poing fermé.

Petite et énergique, sœur Bertille devait avoir une cinquantaine d'années quand leurs chemins s'étaient croisés. Elle portait des lunettes aux verres épais, rafistolées à l'aide d'un morceau de fil métallique provenant, Quinn l'avait appris plus tard, du chargeur d'une arme semi-automatique. Vêtue du traditionnel habit noir en toile grossière des religieuses de son ordre, calme et imperturbable, elle évoluait avec aisance dans la clinique de fortune perdue au cœur de la jungle où elle lui avait sauvé la vie.

Et à présent, elle était morte. Comme envahi par une vague de lassitude, Quinn passa la main sur ses yeux. A pas lents, il se dirigea vers la table de la cuisine. Desserrant le poing, il lissa tant bien que mal la feuille de papier. Il n'était resté que quelques semaines dans ce petit hôpital et jamais il n'avait revu sœur Bertille. Mais depuis, elle n'avait pas laissé passer un mois sans lui écrire. Quand il revenait de mission, il lui arrivait de trouver quatre ou cinq enveloppes dans sa boîte aux lettres. Et de temps en temps, juste pour lui faire savoir qu'il était toujours de ce monde, Quinn griffonnait en retour quelques mots au dos d'une carte postale avant de s'envoler pour une autre destination, une nouvelle aventure.

Jack Tanner… Paddy Doyle… Le petit Haskins — celui qu'ils avaient surnommé Hemingway parce qu'il passait son temps à écrire son journal… Tous avaient disparu, et à présent, c'était le tour de sœur Bertille qui, à sa manière, s'était elle aussi comportée en véritable soldat. Une fois de plus, Quinn posa les yeux sur la lettre. Son regard était sombre.

— Quand un mercenaire meurt, ma sœur, il se réincarne dans une oie sauvage. C'est ce que dit la légende, en tout cas, grommela-t-il entre ses dents. Ceux qui restent vont alors se soûler à sa mémoire. Et parfois, la nuit, on arrive même à se persuader qu'on entend nos copains passer haut dans le ciel à la recherche de leur nid. Je vais donc lever mon verre en votre honneur, ma sœur. C'est ainsi qu'à ma manière, je vous souhaiterai bon voyage. Mais je ne peux en aucun cas faire ce que vous me demandez. Moi, je ne connais que la guerre…

Se soûler était une bonne décision, se dit Quinn. Au diable l'appel téléphonique qu'il avait prévu de passer. Il y aurait toujours une autre mission. D'abord, il allait s'engouffrer dans le bar le plus proche et boire raisonnablement jusqu'à la fermeture. Ensuite, il finirait la bouteille de whisky qu'il conservait au fond du placard. A un moment ou à un autre, il tenterait d'appeler Terry Sullivan pour lui apprendre la nouvelle. Et peut-être celui-ci accepterait-il de se joindre à un vieux camarade pour cette veillée funèbre un peu particulière.

Le rôle de protecteur ! Où allait-elle chercher de telles sornettes ? Sœur Bertille disait toujours qu'il était bien meilleur qu'il ne voulait l'admettre, se rappela Quinn en fixant la lettre froissée d'un œil irrité. Et elle semblait s'être réfugiée dans cette certitude jusqu'au bout.

Se détournant, il se dirigea vers la porte. Il l'avait presque atteinte quand la sonnerie du téléphone retentit. D'une main impatiente, il décrocha avant de se figer littéralement sur place.

— Monsieur McGuire ? articula une voix tremblante. Quinn McGuire ? Une de vos relations m'a communiqué votre numéro de téléphone.

La voix s'apaisa quelque peu.

— Je… j'ai besoin d'un garde du corps. Je souhaiterais vous engager pour assurer ma protection.

1.

Le bar était enfumé, la musique trop forte et à l'évidence, Quinn McGuire ne viendrait pas. Il avait déjà plus d'une heure de retard. Evitant les regards intéressés des hommes assis aux tables avoisinantes, Jane prit une minuscule gorgée du jus d'orange qu'elle faisait durer depuis son arrivée. Au fond du verre, les glaçons avaient fondu depuis longtemps. Toutefois, la douceur du breuvage édulcoré ne parvint pas à éliminer la boule qu'elle sentait là, bloquée dans sa gorge. Que faisait-elle dans pareil endroit ? Et comment le contrôle de sa vie avait-il pu lui échapper au point qu'elle en fût réduite à espérer l'arrivée d'un parfait inconnu dans un petit pub irlandais mal fréquenté ?

Entre le hall de réception cossu de Sullivan Investigations, vitrine d'une entreprise florissante, et ce lieu de rendez-vous incongru, le contraste était frappant. Au premier coup d'œil, cet après-midi, elle aurait dû comprendre que les honoraires de l'agence de détectives étaient au-dessus de ses moyens, se dit-elle avec un embarras rétrospectif.

Le trio irlandais agglutiné sur la petite scène à l'autre extrémité de la salle entonna une nouvelle chanson. Autour d'elle, des voix enthousiastes en reprirent aussitôt le refrain. Elle sentit une douleur lancinante battre à ses tempes et reposa son verre sur la table poisseuse.

Avec tact, la femme détective qui avait fini par la recevoir s'était abstenue de mentionner un quelconque tarif. Cependant, la tenue modeste de Jane, ses boucles d'oreilles en plaqué or et la montre bon marché qu'elle portait au poignet n'avaient pas échappé à son œil exercé.

Un léger sourire de compassion aux lèvres, la jeune femme lui avait alors conseillé de se tourner vers les autorités afin de les avertir des problèmes qu'elle rencontrait. Puis, alors qu'elle retraversait le hall en direction de la porte d'entrée, le souffle un peu court, son interlocutrice l'avait rattrapée et lui avait glissé un morceau de papier dans la main. C'étaient les coordonnées d'un ami intime de M. Terrence Sullivan, le directeur, avait-elle précisé. M. Sullivan suggérait qu'elle appelât un certain Quinn McGuire afin de lui proposer de l'engager momentanément.

Jane avait alors eu l'impression qu'on venait de lui tendre une planche de salut. Et même après sa conversation téléphonique déconcertante avec le dénommé McGuire, elle s'accrochait encore à l'espoir que cet homme l'aiderait à s'extirper du cauchemar qu'elle vivait depuis plusieurs semaines.

A vrai dire, McGuire s'était montré plutôt hostile au téléphone, et le fait de mentionner le nom de Terrence Sullivan ne l'avait guère radouci. Mais, alors qu'elle s'apprêtait à raccrocher à contrecœur, il lui avait communiqué l'adresse de ce pub en lui suggérant de l'y retrouver à 19 heures.

Si elle avait eu le choix, elle l'aurait remercié poliment en prétextant qu'elle avait changé d'avis. Seulement, elle n'avait *pas* le choix, songea-t-elle avec amertume. Elle était au bout du rouleau, et Quinn McGuire était son dernier espoir.

A présent cependant, elle devait regarder la réalité en face : l'éventualité que cet homme l'aidât s'évanouissait à son tour.

Récupérant son sac posé sur une chaise à côté d'elle, Jane se leva. Elle aurait dû lui en vouloir, mais au cours de ces dernières semaines, elle semblait s'être vidée de sa capacité à ressentir la moindre colère. Comme si, anéantissant tout autre sentiment, la peur omniprésente et lancinante qui l'habitait avait pris toute la place au cœur de ses émotions.

— C'est moi que tu attends, ma jolie ?

Surprise, Jane leva la tête et son regard rencontra une paire d'yeux bleu vif. Un mince sourire aux lèvres, l'individu aux cheveux bruns qui la dévisageait avec insistance déposa un verre de bière sur la table.

— Monsieur McGuire ? hasarda-t-elle.

Une légère déception l'envahit. L'homme était grand, bien bâti. Et visiblement, il entretenait sa musculature. Mais Jane s'était attendue à autre chose. *A quoi ?* se demanda-t-elle. *Tu croyais voir arriver Superman ?*

— Je ne suis pas « McGuire », énonça l'individu d'un ton décontracté. Mais tout homme assez stupide pour poser un lapin à une fille comme vous ne mérite pas sa chance. Qu'est-ce que tu bois, ma jolie ?

— Décampe, mon vieux. Et tout de suite.

Comment un personnage aussi imposant avait-il pu apparaître sans qu'elle l'ait vu approcher ? se demanda Jane, abasourdie. Afin de jauger l'homme qui venait de s'adresser à lui, celui qui l'avait abordée un instant plus tôt se retourna lentement. Elle le vit alors déglutir avec difficulté. Il y avait de quoi !

Enfoncés dans un visage hermétique, indéchiffrable et comme taillé dans la pierre, deux yeux gris acier étaient rivés dans les siens. La clarté du regard contrastait de manière frappante avec la teinte des cheveux coupés en brosse et décolorés par le même soleil tropical que celui qui avait dû brunir sa peau. Vêtu d'un T-shirt kaki et d'un pantalon de treillis du même ton, il avait l'air aussi robuste et inflexible qu'un chêne. Et bien qu'il n'ait pas élevé la voix, les occupants des tables avoisinantes s'étaient tus.

— Vous devez être McGuire, hasarda enfin le premier individu.

Dans un effort valeureux pour recouvrer une partie de sa superbe de tout à l'heure, il esquissa un sourire.

— Mon nom ne te regarde pas, mon gars. Et la meilleure chose que tu puisses faire, c'est de t'en aller au plus vite.

Comme on énonce une équation, ces mots avaient été prononcés d'une voix neutre, presque avec douceur. Mais l'autre homme avala sa salive une deuxième fois.

— Bien sûr. Aucun problème. C'est ce que je vais faire...

Evitant son regard stupéfait et sans même la saluer, l'homme s'empressa de s'éloigner. Mais soudain, il se figea.

— Tu oublies ta bière, mon gars. Ne pars pas sans ta bière, tout de même ! ironisa le nouvel arrivé en lui tendant son verre.

Puis, sans même vérifier si l'importun était parti, il s'assit en face d'elle.

— Quinn McGuire. Je suis désolé. Je suis en retard, énonça-t-il en guise d'introduction.

Croisant ses bras musclés sur la table, il posa sur elle un regard impassible et... exempt de toute culpabilité.

— J'avais des affaires à régler, ajouta-t-il.

Il avait un léger accent irlandais. Mais les intonations traînantes de sa voix ne provenaient pas de son accent. En l'examinant avec attention Jane remarqua certains détails qui lui avaient échappé au premier regard. L'économie de mouvements dont il faisait preuve semblait faire partie intégrante de sa personne. En revanche, la raideur exagérée de son maintien donnait l'impression qu'il était obligé de fournir un effort pour se concentrer. Cachés par de grands cils épais et noirs, les yeux pâles ne semblaient pas la voir. Durant un instant, elle eut même la sensation désagréable que l'un d'entre eux était mort.

Puis soudain, la lumière se fit dans son esprit.

— Seriez-vous ivre, monsieur McGuire ? s'enquit-elle, incrédule.

— Pas assez…

A ce moment-là, une serveuse vint déposer sur leur table un verre trapu rempli d'un liquide ambré. L'homme lui tendit un billet.

— Ne me laisse pas le temps d'avoir soif, ce soir, Molly, dit-il en refusant d'un geste la monnaie que lui tendait cette dernière. Et il me semble que cette dame boit une vodka orange. Apporte-lui un autre verre, veux-tu ?

— C'est du jus d'orange. Et je n'ai pas soif, répliqua Jane d'un ton brusque.

Elle attendit que la serveuse se fût éloignée.

— Ainsi, c'est ce genre d'affaires que vous aviez à régler, n'est-ce pas, monsieur McGuire ? Vous aurais-je dérangé lors d'un rendez vous important avec une bouteille d'alcool ?

Le regard offensé qu'il lui lança contrastait de manière incongrue avec la dureté impassible de ses traits.

— De l'alcool ? Vous rigolez ? Non, mademoiselle, cela, c'est du bon whisky irlandais. Mais trêve de platitudes… C'est Terry Sullivan qui vous a communiqué mon nom, n'est-ce pas ?

— Ce monsieur a dû faire une erreur. A l'évidence, vous n'êtes pas intéressé par mon offre.

Pour la deuxième fois en l'espace de quelques minutes, Jane porta la main à son sac et se leva.

— Je suis désolée de vous avoir détourné d'une mission aussi essentielle, monsieur McGuire.

Malgré elle, sa voix avait tremblé. Ce devait être l'épuisement, se dit-elle. Depuis des semaines, elle n'avait pas profité d'une seule bonne nuit de sommeil. Et depuis des jours et des jours, elle vivait sur les nerfs, dans l'attente du prochain incident.

— Mon prénom est Quinn. Asseyez-vous, ordonna-t-il d'un ton impérieux.

Excédée, Jane riva sur lui un regard qui en disait long. Elle vit alors quelque chose vaciller au fond des yeux gris.

Du remords ? En réalité, ce devait plutôt être du soulagement.

— Nous ne nous serons pas connus assez longtemps pour que je vous appelle par votre prénom, monsieur McGuire. Et je doute que beaucoup de gens jouissent de ce privilège, affirma-t-elle en s'efforçant de contrôler le tremblement de sa voix. Mais à vrai dire, je doute également que cela vous touche. Au revoir, donc, monsieur Mc…

— Arrêtez de m'appeler ainsi, gronda Quinn, tout en emprisonnant son poignet avec la vivacité d'un serpent.

L'étreinte de sa main était ferme, mais quand, de manière instinctive, elle tenta de s'y arracher, il lâcha aussitôt prise. Indéchiffrable, son regard se riva alors sur elle.

— La nuit est mal choisie pour raviver les vieux souvenirs. Appelez-moi Quinn. Et, s'il vous plaît… asseyez-vous.

Mais Jane ne bougea pas. Afin de dissimuler combien le geste familier de l'homme l'avait ébranlée, elle s'empêcha même de regarder son poignet.

— Va pour Quinn. Mais si j'ai tenu à vous rencontrer, c'est parce que l'on m'a assuré que vous seriez peut-être en mesure de m'aider. Or, tout ce qui semble vous intéresser c'est de vous soûler, prononça-t-elle d'une voix trop aiguë.

S'efforçant de se maîtriser, elle prit une profonde inspiration.

— Alors, ne vous forcez pas à m'écouter… Quinn. Vous ne me devez rien.

Dans un dernier effort pour garder son sang-froid, elle lui adressa un sourire crispé avant de se détourner et de commencer à s'éloigner.

— Bon sang, ma sœur, entendit-elle dans son dos. Vous êtes vraiment décidée à ne pas me laisser tranquille !

Surprise, Jane se retourna. Quinn avait parlé si bas qu'elle s'attendit à voir quelqu'un assis à son côté. Mais c'était bien elle qu'il regardait.

— Si, je vous dois quelque chose, dit-il en s'adressant clairement à elle. Je crois qu'une de mes anciennes dettes vient d'être transférée…

— Je ne comprends pas, rétorqua Jane d'une voix hésitante.

L'intensité de son regard la mit mal à l'aise. C'était comme s'il venait seulement de prendre conscience de sa présence. Regrettant soudain de ne pas offrir un spectacle plus prestigieux, elle rougit légèrement, avant de s'étonner aussitôt de ce sentiment incongru.

D'habitude, elle n'était pas femme à se laisser aller à ce genre de considérations. Avec son mètre soixante-sept, ses cheveux aux reflets auburn, sa peau de lis et ses yeux bleus, elle avait fini par s'accoutumer à voir les hommes se retourner sur elle, mais elle faisait rarement preuve de coquetterie.

— « L'étoile de la Vallée », murmura Quinn, ajoutant encore à sa confusion. Ce sont des filles comme vous qui inspirent leurs chansons aux Irlandais, ajouta-t-il sans la quitter des yeux. Sachez que je n'étais pas en train de faire la fête, mademoiselle. Je célébrais à ma manière le décès d'un proche.

De la part d'un homme comme McGuire, elle se serait attendue à tout sauf à une justification — et surtout pas à une excuse de cet ordre. Ebranlée, Jane retint un instant sa respiration.

— Je suis désolée, balbutia-t-elle enfin, les doigts crispés sur la lanière de son sac. Je… je ne pouvais pas savoir. Vous préférez sans doute être seul…

— Tout ce que je voudrais, c'est que vous vous asseyiez.

Comme pour se débarrasser de la morosité qui l'oppressait depuis quelques heures, il secoua ses larges épaules.

— Si on recommençait tout depuis le début, proposa-t-il en ébauchant un sourire.

Derrière une apparente nonchalance, elle avait cru déceler une pointe de désespoir dans la voix anormalement douce. Sans le quitter des yeux et les doigts toujours crispés sur la bandoulière de son sac, elle se rassit avec raideur.

— Après vous avoir parlé cet après-midi, j'ai appelé Sullivan, commença Quinn, les sourcils légèrement froncés. Il m'a expliqué que vous aviez le sentiment d'être suivie. Il m'a aussi raconté une série d'incidents… qui s'avèrent de plus en plus inquiétants.

— Inquiétants ? répliqua-t-elle avec un rire désabusé. Oui, c'est le moins qu'on puisse dire.

— Mais si je comprends bien, cette personne n'en est qu'au stade des préliminaires, de l'escarmouche, poursuivit Quinn. La guerre n'est pas encore déclarée. Cet individu doit avoir échafaudé un plan d'attaque qu'il entend suivre à la lettre.

Jane redressa brusquement la tête.

— Escarmouche… Plan d'attaque, s'écria-t-elle, le visage tendu. On n'est pas là pour jouer aux petits soldats, monsieur McGuire !

Indifférent à la vivacité de sa remarque, il la fixa d'un air impassible. Derrière l'épaisse fumée qui tamisait la lumière de la salle, le regard lisse comme de l'acier ne laissait passer aucun sentiment.

— Qu'est-ce qu'on vous a dit sur moi ? demanda-t-il enfin.

— Juste que vous étiez un ami de Terrence Sullivan, répondit Jane, déconcertée. Je me suis rendue chez Sullivan Investigations dans le but d'engager quelqu'un pour assurer ma sécurité. Je pensais que c'était votre métier…

Elle s'interrompit.

— Je me suis trompée, n'est-ce pas ? rectifia-t-elle. Que faites-vous, dans ce cas ?

— Je suis soldat, répondit-il, laconique.

Jane fronça les sourcils.

— Vous êtes dans l'armée ?

— Non. J'ai fini mon temps avec l'Oncle Sam.

Pour la première fois, elle le vit faire un geste superflu. De la main, il repoussa une courte mèche de cheveux jaunis par le soleil.

— A présent, c'est moi qui choisis les guerres dans lesquelles je m'engage, mademoiselle Smith.

— Vous êtes… *mercenaire ?*

Mon Dieu, songea-t-elle. Elle s'attendait qu'il fût un genre de détective privé ou un ancien policier, quelqu'un capable d'affronter un danger physique. Mais un mercenaire ! Un soldat de fortune, un tueur à gages, en somme ! Dans quel guêpier s'était-elle fourrée ?

— Le métier de soldat est le seul auquel j'aie été formé.

Il saisit son verre sur la table et en vida la quasi-totalité avant de le reposer avec un peu plus de force que nécessaire.

— Mais je ne travaille pas pour n'importe qui et je n'accepte aucune mission qui serait contraire à ma loyauté envers mon pays. Vous savez, il y a toujours du grabuge quelque part dans le monde. En ce moment même, quelqu'un prépare une guerre contre vous.

Elle le fixa alors d'un œil étonné. En deux mots, il venait d'énoncer clairement ce qu'elle ressentait en permanence. Depuis plusieurs semaines, Jane avait le sentiment que quelqu'un lui avait déclaré la guerre — une guerre privée, personnelle, mais une guerre sans merci.

Avec l'aide de Quinn, elle avait une chance de retourner la situation à son avantage, se dit-elle. Mais pour pouvoir conclure le moindre arrangement, il aurait besoin d'en savoir plus.

Comme tout bon soldat, il allait réclamer toutes les informations possibles concernant l'ennemi et… son alliée. Comment lui dire alors que leur adversaire n'était pas la seule personne dont elle ignorait tout ?

— Tout à l'heure, vous avez dit que cette nuit n'était pas propice à remuer les souvenirs, McGuire.

Concentré sur ses propos, Quinn plissa les yeux.

— Vous, vous semblez en avoir trop, poursuivit-elle d'une voix hésitante, consciente d'avancer en terrain miné.

— Des souvenirs, tout le monde en a trop, affirma Quinn avec dureté en la fixant de ses yeux gris acier.

— Pas moi…

A son tour, Jane braqua son regard sur lui. Une ombre passa dans ses yeux.

— Avant le moment où je me suis réveillée dans un lit d'hôpital, il y a dix semaines de cela, je ne sais rien de ma vie passée. Je ne connais même pas mon vrai nom, j'ignore d'où je viens ou si j'ai une famille.

Sa voix se brisa et elle dut faire un effort sur elle-même pour en contrôler le tremblement.

— Et la seule personne qui puisse remplir les cases vides pour moi est précisément celle qui a décidé de me traquer comme un vulgaire gibier.

2.

Quinn secoua la tête.

— Vous ne vous rappelez vraiment rien concernant votre vie passée. Comment faites-vous ?

Une pointe d'admiration perçait dans sa voix. Jane le regarda fixement.

— Ce n'est pas un tour de magie, cela s'appelle l'amnésie, McGuire. Quand j'ai repris conscience à l'hôpital, on m'a dit que j'avais été renversée par une voiture et que je souffrais d'un traumatisme crânien.

— Un traumatisme crânien. Vraiment ! remarqua Quinn d'un ton un peu grinçant.

Après avoir repoussé son verre au bout de la table, il s'appuya sur ses deux coudes et se pencha vers elle.

— Et ensuite, que s'est-il passé ? Quand avez-vous compris pour la première fois que ce type vous suivait ?

Son accent s'était encore épaissi. Une fois de plus, elle résista à l'envie de se lever et de partir. Mais malgré son état d'ébriété, le physique de Quinn suffirait sans doute à la protéger. Même ainsi affalé sur la table, sa seule présence demeurait intimidante.

— C'était quelques jours après que j'ai quitté le...

Retenant sa respiration, elle baissa les yeux sur la large main hâlée qui venait de se poser sur son avant-bras.

— Ceci n'est pas un rendez-vous galant, monsieur McGuire. Otez votre main, s'il vous plaît !

— Je m'appelle Quinn. Je vous l'ai déjà dit. Et dans votre propre intérêt, ma main restera où elle est.

— Que voulez-vous dire ? répliqua-t-elle, les mâchoires contractées.

— Je m'efforce de rester le plus discret possible. Mais certaines personnes ici savent très bien comment je gagne ma vie, énonça-t-il d'une voix posée.

La caresse de ce pouce remonta lentement le long de son avant-bras et elle sentit ses doigts se crisper sur la table.

— Notre conversation commençait à ressembler d'un peu trop près à ce qu'elle est — un rendez-vous d'affaires, expliqua Quinn. Pour votre sécurité, il vaut mieux nous fondre dans la masse des couples qui nous entourent.

— Vous voulez prétendre que nous sommes… un couple ? Si vous pensez que c'est nécessaire, je veux bien jouer le jeu, mais il y a des limites. Je déteste…

Sa voix se fit hésitante.

— Je déteste qu'on me touche, reprit-elle en évitant son regard. Cela me rend nerveuse.

— Mais je n'ai pas l'intention de faire courir mes mains sur tout votre corps, mademoiselle. Ceci reste très respectueux, et sans aucune ambiguïté.

— Peut-être, mais ce contact m'est désagréable.

Avec soulagement, elle remarqua que sa voix avait repris une certaine assurance.

— Veuillez me lâcher, s'il vous plaît.

Cette requête s'avéra superflue. McGuire avait déjà écarté sa main. Pourtant, Jane sentait encore la chaleur de ses doigts sur sa peau.

— J'ai bien reçu le message. Il y a autour de vous une barrière à ne pas franchir. Je tâcherai de m'en souvenir. Poursuivez votre histoire, énonça-t-il d'un ton paisible.

Il n'y avait aucune émotion dans sa voix. C'était exactement comme s'il lui avait demandé l'heure. Jane sut alors qu'elle venait de commettre une erreur. Avec cet homme-là, elle n'avait nul besoin de garder ses distances car le mur d'indifférence dont il s'entourait était plus infranchissable encore que celui qu'elle avait elle-même érigé. Pour des raisons qui lui échappaient, elle sentait qu'une part d'elle-même était glacée. Mais chez McGuire, c'était tout son être qui semblait habité par un froid sibérien. Avec lui, elle n'avait rien à craindre. Il ne ressemblait pas aux autres hommes.

Mais est-ce de lui dont tu as eu peur ? demanda une petite voix dans sa tête. *Ou alors de toi-même... et de ce que tu as ressenti lorsqu'il t'a touchée ?*

Jane se raidit un peu plus sur sa chaise et reprit son récit.

— Trois jours après ma sortie de l'hôpital j'ai trouvé du travail dans une société de nettoyage. C'est tout ce que j'ai pu dénicher, précisa-t-elle avec un léger haussement d'épaules. Le fait que je n'aie pas de papiers n'a pas représenté de problème majeur. La plupart des membres de l'équipe n'avaient eux-mêmes aucun statut légal.

— Dès le départ, votre histoire ne tient pas debout, affirma Quinn avec dureté.

Levant son verre, il la dévisagea à travers le liquide ambré comme s'il l'examinait à travers un microscope.

— Votre conte de fées est truffé d'invraisemblances, ma belle.

— Vous croyez que je mens ? *Pourquoi* mentirais-je ? Ce n'est pas dans mon intérêt.

— J'ai pas mal bourlingué, affirma Quinn, et j'ai vu toutes sortes de choses, mademoiselle. J'ai vu des hommes oublier comment ils s'appelaient, de quel pays ils venaient, et quel jour on était. Mais au bout de quelques jours, ils avaient tous recouvré la mémoire.

— Les cas d'amnésie totale sont extrêmement rares, répliqua Jane en repoussant machinalement une mèche de cheveux. J'ai épluché tous les livres de la bibliothèque municipale à ce sujet. Rares, mais pas inexistants. Et que vous le croyiez ou non, c'est ce qui m'arrive.

— D'accord, mais le reste de l'histoire ne colle pas non plus, renchérit Quinn en baissant le ton et en croisant de nouveau ses bras sur la table. Je vais vous dire comment les choses se seraient passées dans la réalité. Dans la réalité, l'hôpital aurait prévenu la police qui aurait ouvert un dossier vous concernant. Ils auraient fait de vous une description détaillée qu'ils auraient ensuite comparée à celles des personnes récemment disparues.

Quinn secoua la tête.

— Et ce qui n'aurait jamais pu arriver, poursuivit-il, c'est qu'une personne dans votre état soit ainsi relâchée seule dans la nature. Vous ne m'avez pas convaincu, ma belle. Vous feriez aussi bien de rentrer chez vous.

— Attendez. Laissez-moi finir ! s'écria Jane. Quand j'ai appris que l'hôpital était sur le point de contacter la police, je me suis enfuie…

Elle détourna les yeux.

— Je ne savais même pas ce que je fuyais. Tout ce que je savais, c'est que je ne voulais parler à personne de qui j'étais ni d'où je venais. Je voulais qu'on me laisse tranquille. Mais hélas, quelqu'un semble déterminé à me refuser ce droit.

Comme s'il avait envie de se lever et de s'en aller, Quinn eut un mouvement d'épaules agacé.

— Et comment avez-vous fait, alors, sans argent, sans vêtements, pour vous enfuir de l'hôpital, trouver un travail, payer les communications téléphoniques, vous déplacer ? Si vous avez vraiment été renversée par une voiture, vos habits devaient être en lambeaux.

— Je suis prête à tout vous expliquer. Mais vous ne semblez pas vouloir m'écouter.

Sans le quitter des yeux, lentement, elle hocha la tête.

— La guerre étant votre métier, je ne devrais pas m'étonner que vous vous montriez si belliqueux. Mais ce que je n'arrive pas à comprendre, McGuire, c'est contre qui vous vous battez... car cela ne peut pas être contre moi. Vous n'en savez pas encore assez sur mon compte pour pouvoir m'inclure dans la liste de vos ennemis.

— C'est vrai, concéda Quinn.

Elle eut l'impression qu'un muscle de sa mâchoire avait tressailli. Mais le reste de son visage demeurait complètement immobile.

— Et vous n'en savez guère plus à mon sujet, mais vous ne cessez d'énoncer des théories ronflantes me concernant. Enfin. Poursuivez votre développement. Si ce n'est pas contre vous, contre qui, donc, suis-je en train de me battre ?

Un instant plus tôt, Jane n'aurait su que répondre. Mais à cause de la dureté superflue avec laquelle il venait de s'exprimer, la réponse à sa question lui apparut soudain avec clarté.

— Cela semble évident, monsieur McGuire, répondit-elle d'une voix tranquille. C'est vous. Quelle qu'en soit la raison, c'est avec vous-même que vous êtes en guerre.

— C'est stupide ! riposta trop vivement Quinn.

Comme pour se calmer, il prit une profonde inspiration.

— Quand je prends les armes, ma belle, c'est toujours contre un ennemi bien réel et non contre un moi intérieur écartelé par quelque conflit freudien, expliqua-t-il en haussant les épaules d'un air moqueur. Je suis désolé de démolir votre théorie, mais je suis un homme simple. Ce que vous voyez à la surface, c'est moi tout entier. Il m'arrive hélas de faire des erreurs. Mais dans mon métier, pour survivre, il faut se montrer très vigilant. Et croyez-moi, je n'ai pas de temps à perdre en considérations métaphysiques.

— Dans ce cas, pourquoi avoir mentionné vos erreurs passées, McGuire ? Ce n'est pas moi qui en ai parlé la première, répliqua Jane en le dévisageant avec intérêt. Contrairement à ce que vous dites, je ne pense pas que ce que l'on voit à la surface soit votre véritable personne. Je pense que, sous cette carapace, il y a un homme très différent — sans doute meilleur que vous ne voulez le croire. Et c'est peut-être bien cet homme-là avec qui vous êtes en guerre.

Quinn la regarda fixement. Mais sans la colère froide avec laquelle il l'avait toisée auparavant. Et une fraction de seconde avant qu'il ne la dissimule derrière ses cils épais, elle décela une part de souffrance dans ses yeux.

— Bon Dieu, ma sœur, marmonna-t-il, en pressant ses paupières l'une contre l'autre. Maintenant, à la place de vos lettres, vous m'envoyez un émissaire ? Si j'avais su que vous étiez aussi obstinée, je vous aurais suppliée de me laisser mourir dès qu'on s'est rencontrés…

Bien qu'il se fût exprimé de manière quasi inaudible, Jane avait perçu l'essentiel de ses propos. Des propos pour le moins incohérents, songea-t-elle, perplexe.

— Je ne sais peut-être pas qui je suis, monsieur McGuire. Mais je sais tout de même que je ne suis pas votre sœur. Vous semblez me confondre avec quelqu'un d'autre.

Comme il ouvrait de nouveau les yeux, le regard de Quinn rencontra le sien.

— Peut-être bien, ma belle, admit-il d'une voix grave. Mais quand vous citez au terme près ses propos, vous admettrez qu'il y a de quoi se sentir traqué.

Il vit qu'elle ne comprenait pas.

— Il s'agit de quelqu'un que je connaissais. Et cette personne est morte.

Elle ne saisissait toujours pas. Mais qu'importe, songea-t-elle, à présent désarmée. Elle n'avait pas réussi à le convaincre de l'aider. C'était donc seule qu'elle allait quitter cet endroit — seule qu'elle allait affronter la nuit. McGuire avait déjà pris sa décision la concernant et il n'y avait rien qu'elle puisse ajouter pour lui faire changer d'avis.

C'était dans ses mots à lui qu'il fallait puiser, songea-t-elle soudain, entrevoyant une lueur d'espoir.

— Je suis votre facture impayée, monsieur McGuire, lança-t-elle tout à coup, à l'aveuglette. Je suis la dette dont vous avez parlé tout à l'heure — celle qui a été transférée. Elle vous a sauvé la vie, n'est-ce pas ?

Une à une, et sans même savoir si ses paroles auraient un sens pour lui, elle s'efforçait de rassembler les bribes éparses de ses propos. Et la réaction immédiate de McGuire lui indiqua qu'elle avait atteint sa cible. Brusquement, il releva la tête et son regard se perdit dans le vide.

— Oui. Je sais, prononça-t-il d'une voix hachée Je n'ai jamais eu l'intention d'ignorer ma dette envers vous, ma sœur. Mais qu'attendez-vous de moi ? Que je leur tourne le dos à tous ? Je vous le dis clairement : c'est impossible !

Avec l'impression d'avoir amorcé une grenade qui lui explosait à présent en plein visage, Jane s'efforça de ramener cette conversation à un semblant de normalité.

— Elle est morte, Quinn. Qui que soit cette femme, elle est morte, elle n'est plus là, vous comprenez ?

Cherchant à apaiser le chagrin manifeste de Quinn, elle posa doucement sa main sur son poing fermé.

— Je ne suis pas cette femme. Et je ne suis pas non plus son émissaire. Mais quelle que soit la dette que vous avez contractée envers elle, ce n'est sans doute rien que vous ne puissiez payer. Maintenant, il vaut mieux que je m'en aille, dit-elle en cherchant son regard. Je suis désolée. J'aurais dû partir avant de faire resurgir tous ces souvenirs.

Lentement, la tension se relâcha dans la main de Quinn et il baissa les yeux. Ainsi posée sur sa peau hâlée, celle de Jane paraissait d'une blancheur de lis.

— Je viens de terminer une mission particulièrement difficile, dit-il en pesant ses mots. Je sais très bien que vous n'êtes pas cette femme, mademoiselle Smith. Je ne suis pas aussi cinglé que vous semblez le croire. Disons que ma langue a fourché.

C'était faux, elle le savait. Pendant un moment, ce n'était pas elle qu'il avait vue assise en face de lui, mais un fantôme — un fantôme qui, apparemment, comptait beaucoup pour lui.

— Là, vous êtes en train de me toucher, énonça-t-il à mi-voix, interrompant les pensées de Jane. Je croyais que vous n'aimiez pas le contact des gens.

— Je n'aime pas ça, s'empressa-t-elle de répondre en retirant vivement sa main. C'est-à-dire... je ne m'en suis pas rendu compte... Je...

— Soyez sans inquiétude. Je ne vous dénoncerai pas pour cette fois.

Il souriait, remarqua Jane avec surprise. Comme par magie, la dureté de ses traits s'était soudain estompée, et pour la première fois, elle vit combien il était séduisant. Quinn McGuire avait plus d'une arme dans son arsenal, songea-t-elle, et il était loin de lui avoir montré toutes celles dont il disposait. Réprimant un frisson, elle s'efforça de ramener son attention sur ce qu'il était en train de dire.

— Une chose est sûre, énonça Quinn. Si le type qui vous suit est vraiment déterminé, il finira par passer à l'action — à moins que quelqu'un ne l'en empêche définitivement, bien sûr. Mais, cela, c'est illégal. Cela s'appelle un meurtre, ajouta-t-il sèchement.

Bon, racontez-moi ce qui vous est arrivé, et j'essaierai de voir si je peux échafauder une stratégie pour vous aider.

Elle faillit s'évanouir sur sa chaise. Il lui faisait une réelle faveur en revenant ainsi sur sa décision. Bien sûr, il ne lui avait encore fait aucune promesse, mais il acceptait de l'écouter de nouveau. Et cette chance, elle la devait à un fantôme.

— A l'hôpital, je n'arrivais pas à dormir la nuit, commença-t-elle. Au début, c'était à cause de… la douleur. Mais mes blessures n'étant que superficielles, au bout de quelques jours, ce n'était plus elles qui me tenaient éveillée.

Jane avala sa salive.

— J'avais menti aux médecins, poursuivit-elle. Je leur avais donné un faux nom, le plus commun qui me soit venu à l'esprit. Et pour qu'ils ne me posent pas trop de questions, je leur avais dit que j'étais sans domicile fixe, que je vivais dans la rue. Mais je voyais bien qu'ils ne me croyaient pas vraiment.

— Pourquoi avez-vous menti dès le départ ? Vous auriez dû être la première à demander qu'on recherche votre identité.

Quinn se faisait de nouveau l'avocat du diable. Mais cette fois-ci, il n'y avait aucune agressivité dans sa voix.

— Je ne sais pas.

Ce n'était pas une réponse satisfaisante, mais elle n'en avait pas d'autre.

— Je me rends compte que cela peut paraître bizarre, mais dès que j'ai repris conscience, et que j'ai compris que je ne me souvenais de rien, je me suis sentie…

Elle s'interrompit et pressa un instant ses paupières l'une contre l'autre. Elle sentait son regard posé sur elle. Après avoir pris une profonde inspiration, elle rouvrit les yeux.

— J'ai eu l'impression qu'on venait de me donner une deuxième chance. Je ne voulais surtout pas savoir qui j'étais. Ce que je voulais, c'était me glisser dans une nouvelle peau et tout recommencer de zéro.

— Cela ne paraît pas si bizarre.

De nouveau, l'expression de Quinn était indéchiffrable.

— Continuez, dit-il.

— La nuit, une équipe de femmes de ménage nettoyait les allées entre les box. L'une d'entre elles s'appelait Olga Kozlikov. C'était une femme d'un certain âge. Parfois, quand l'infirmière avait le dos tourné, elle s'arrêtait à mon chevet pour discuter avec moi. Elle m'a raconté qu'elle était russe, qu'elle était venue ici dans l'espoir de changer de vie.

— Vous aviez un point commun, dans ce cas.

Quinn leva son verre et le vida d'un trait.

— Vous étiez toutes deux des réfugiées, non ? ajouta-t-il.

Surprise, Jane esquissa un sourire involontaire.

— Vous avez raison. Je n'avais pas vu les choses sous cet angle. Un soir, donc, je lui ai un peu exposé ma situation et elle a eu l'air de comprendre ce que je ressentais. Elle m'a dit qu'elle avait vécu si longtemps dans la peur de l'ancien régime soviétique qu'elle non plus ne parvenait pas à faire confiance à la police. Ensuite, elle a proposé de m'aider.

— Donc, elle vous a donné des vêtements et de l'argent et elle vous a aidée à trouver un travail.

Jane hocha la tête en signe d'acquiescement.

— Quelques jours après mon arrivée, le médecin qui s'était occupé de moi m'a fortement conseillé de déclarer l'accident à la police. Cela m'a effrayée. De toute façon, je n'avais aucun souvenir de cet accident. Une dizaine de témoins avaient déclaré que je m'étais élancée au beau milieu de la rue. D'après eux, la conductrice qui m'a renversée n'aurait rien pu faire pour m'éviter. C'est tout ce que j'en sais.

— C'est vrai ? Vous ne vous en souvenez pas ? demanda Quinn en la scrutant du regard. Quoi que vous ayez dit aux autres, vous ne devez pas me mentir. C'est important, vous comprenez. Si j'ai l'impression que vous mentez, notre conversation s'achèvera là.

— Je ne vous ai pas menti, dit-elle en soupirant. Cependant, j'ai omis de vous dire quelque chose. Quand on m'a amenée aux urgences, j'étais apparemment sous l'effet de drogues très puissantes. Durant vingt-quatre heures, ils n'ont pas pu m'administrer le moindre produit, parce que mon système était déjà saturé.

— Les médecins vous ont dit ce que vous aviez pris ?

— Ils ont prononcé quelques noms savants qui ne m'ont guère éclairée. Mais depuis que je suis sortie de l'hôpital, je vous jure que je n'ai même pas avalé un cachet d'aspirine, Quinn.

Sans ciller, elle soutint son regard durant un moment. Pour finir, Quinn eut un bref hochement de tête.

— Je vous crois, dit-il. Si vous étiez une junkie, en ce moment, vous seriez dans la rue à la recherche d'une dose au lieu de discuter tranquillement dans ce pub avec moi.

— Et si j'étais une junkie, personne ne pourrait m'aider à part moi-même. Mon problème n'a rien à voir avec la drogue. Mais hélas, je ne pense plus être en mesure de gérer seule cette situation.

Sentant les larmes affleurer sous ses paupières, elle les pressa l'une contre l'autre comme pour les retenir.

— La veille du jour où la police devait venir m'interroger, j'ai tout simplement quitté l'hôpital. Olga s'était arrangée pour me faire engager par la société de nettoyage qui l'employait. J'ai alors rejoint une équipe chargée de l'entretien de bureaux situés au sud de la ville. Au début, tout se passa bien. Olga avait une nièce infirmière qui travaillait dans le même hôpital qu'elle et qui m'a aidée à obtenir un petit meublé disponible en face de son propre appartement. J'avais un toit, j'avais un travail, et la nouvelle vie à laquelle j'aspirais commençait à devenir réalité. Mais très vite, il a laissé un premier signe à mon intention.

— Que voulez-vous dire ? demanda Quinn.

Il avait froncé les sourcils.

— Eh bien…

Jane joignit les mains et les serra avec force l'une contre l'autre.

— Je faisais équipe avec une autre femme. Martine et moi étions chargées de nettoyer le bureau des secrétaires. Quand nous sommes arrivées le troisième soir, tous les ordinateurs dans la salle étaient en marche. Et tous les écrans affichaient le même message, en lettres suffisamment grandes pour que l'on puisse le déchiffrer depuis le pas de la porte : *Je sais qui tu es.*

— C'est tout ? s'écria Quinn en haussant les sourcils d'un air étonné. Allons, mademoiselle, il faut arrêter de délirer ! Ce message s'adressait sûrement à un des employés de ce bureau.

Piquée au vif, elle le toisa avec colère.

— C'est exactement ce que j'ai fini par me dire, rétorqua-t-elle. Spontanément, j'avais d'abord pensé que le message m'était adressé, parce qu'il correspondait trop bien à ma situation. Mais ensuite, je me suis persuadée que cette idée était absurde. Martine et moi avons terminé notre travail, puis nous sommes rentrées au dépôt avec le reste de l'équipe. Chaque nuit, je prenais le même autobus pour rentrer et je descendais au même arrêt, qui est à deux pas de mon domicile. Ce soir-là, en descendant du bus, j'ai vaguement remarqué que les parois de l'abri en Plexiglas étaient tapissées d'affiches… d'affiches…

Jane se mit à trembler. Tentant de contrôler son souffle, elle inclina la tête vers sa poitrine. La serveuse s'arrêta alors à leur table pour y déposer un nouveau verre sans qu'elle remarquât sa présence. Quinn le poussa aussitôt devant elle et elle leva enfin les yeux.

— Buvez, ordonna-t-il.

Malgré son ton péremptoire, Jane secoua la tête.

— Je ne…

— J'ai dit : buvez.

Il avait serré les lèvres d'un air menaçant.

— Cela vous fera du bien, ajouta-t-il, soudain radouci.

A contrecœur, elle approcha le verre de ses lèvres et entrouvrit légèrement la bouche, juste assez pour laisser passer une minuscule gorgée du breuvage ambré jusqu'à sa gorge. Du moins temporairement, cette dose ridicule suffit à la distraire.

— C'est *imbuvable,* bredouilla-t-elle.

— Ce n'est pas imbuvable. Vous n'êtes qu'une néophyte. C'est du très bon whisky irlandais. Regardez votre main. Vous ne tremblez plus. Elle est aussi ferme qu'un roc.

Effectivement, elle avait cessé de trembler, remarqua Jane. Mais elle n'était qu'au début de son histoire. Si elle devait boire ce truc à chaque nouvelle émotion, il faudrait la porter avant qu'elle ait achevé son récit !

Reprenant la conversation là où elle l'avait laissée, Quinn l'encouragea à poursuivre.

— Les affiches comportaient le même message que celui qui était inscrit sur les écrans ?

Jane hocha la tête.

— Il pleuvait des cordes ce soir-là. J'ai d'abord baissé la tête pour me protéger de la pluie. Puis le bus a démarré. Les affiches d'un jaune criard ont alors attiré mon regard. Elles semblaient hurler quelque chose à mon intention. J'ai levé les yeux. Inscrit en grosses lettres noires, elles comportaient toutes le même message. Persuadée que celui ou celle qui les avait collées là était tout près, à m'épier, j'ai couru aussi vite que j'ai pu, sans m'arrêter, jusqu'à mon appartement. Pas très téméraire de ma part, n'est-ce pas ? conclut-elle en grimaçant.

— Ne vous fustigez pas. N'importe qui aurait eu la frousse.

Il roulait un peu les r, à la manière joviale des paysans. Jane sourit malgré elle. C'était drôle dans la bouche d'un personnage aussi austère. Mais son sourire ne tarda pas à s'évanouir et elle reprit son récit.

— Cet incident a eu lieu il y a un peu plus de deux mois. Depuis, tous les deux ou trois jours, je reçois un nouveau message. Chaque fois de manière différente.

— Par exemple ? demanda Quinn en tendant la main vers son verre.

Il en prit une longue gorgée.

— Par exemple, barbouillé en blanc sur les fenêtres d'une entreprise désaffectée devant laquelle je passe tous les jours. Ou encore, griffonné sur un bout de papier glissé entre les pages du menu, dans le café où je me rends avant de partir au travail. Je n'arrive toujours pas à comprendre comment il réussit à faire ça.

— Il connaît vos habitudes, jusqu'à la table à laquelle vous avez coutume de vous asseoir, et l'heure approximative à laquelle vous arrivez dans le café. Ainsi, il est pratiquement certain que le message vous parviendra.

Quinn se frotta la mâchoire d'un air pensif.

— Je dis « il », mais ce peut très bien être une femme. Bref. Ensuite, que s'est-il passé ?

— Jusqu'à cette semaine, rien d'autre que ces messages répétitifs. Mais récemment, la situation s'est aggravée — c'est pourquoi je me suis rendue chez Sullivan Investigations.

Elle détourna les yeux et fixa le vide droit devant elle.

— Quand nous avons fini notre ménage, Martine et moi devons descendre les poubelles par l'ascenseur de service. Il y a trois nuits de cela, je la suivais à distance dans le couloir — elle était déjà arrivée devant l'ascenseur — quand je l'ai vue soudain basculer en avant et disparaître sous mes yeux à l'intérieur de la cabine. Puis les portes se sont refermées derrière elle.

Jane ferma les yeux un instant avant de reprendre.

— Je me suis inquiétée. J'ai pensé qu'elle avait eu un malaise et j'ai demandé à Serge, notre chef d'équipe, et à un autre collègue, d'aller voir au sous-sol si elle allait bien — c'est l'étage où nous déchargeons les poubelles. Ils ont emprunté l'escalier et moi, je suis restée là à attendre leur retour. Ensuite, j'ai vu le voyant indiquer que l'ascenseur remontait. J'ai alors pensé que Serge et Julio avaient trouvé Martine et qu'ils la raccompagnaient à notre étage. Mais quand les portes se sont ouvertes, Martine était seule.

Cette fois-ci, ni le whisky, ni la présence rassurante des gens qui l'entouraient, ni la carrure imposante de Quinn McGuire ne purent calmer sa peur rétrospective.

— Elle hurlait comme une hystérique, poursuivit-elle sans plus parvenir à maîtriser le tremblement de sa voix. Quelqu'un l'avait saisie par le bras pour l'attirer dans l'ascenseur. Puis, soudain, la lumière s'était éteinte, les portes s'étaient refermées et elle avait senti la lame d'un couteau sur sa gorge. Son agresseur l'avait alors menacée de la tuer si elle ne se tenait pas tranquille. Et juste avant qu'ils n'atteignent le sous-sol, il lui a chuchoté un message à l'oreille — un message qui m'était destiné.

— Le même message que celui que vous aviez déjà reçu à plusieurs reprises, prononça Quinn d'un ton lugubre.

— « Je sais qui tu es », confirma Jane d'une voix blanche. Mais cette fois-ci, le message comportait une deuxième phrase.

— Laquelle ?

— « Et je sais ce que tu as fait. »

Quinn prit une inspiration.

— Après cette agression, vous avez tout de même prévenu la police ?

— Non.

Quinn la dévisagea d'un air stupéfait.

— Je vous ai déjà expliqué, dit-elle en se penchant vers lui, que les gens avec qui je travaillais souhaitaient autant que moi demeurer dans l'anonymat. Martine n'avait pas de carte de travail. Elle était étrangère. Et ma présence commençait à devenir dangereuse pour l'équipe, comme pour l'entreprise. Le soir même, j'ai été renvoyée, conclut-elle d'un air las.

— Tôt ou tard, ce type arrêtera de jouer avec vous, dit Quinn en grimaçant.

— Vous appelez cela jouer ?

Ulcérée, elle le dévisagea avec insistance.

— Il a fait de ma vie un enfer ! Il semble au courant de tous mes faits et gestes. Quand il ne me précède pas, il me suit à la trace, nuit et jour !

— Donc, il aurait déjà pu vous tuer dix fois, déclara Quinn d'un ton brutal. Mais il ne l'a pas fait. C'est pourquoi je dis qu'il joue avec vous.

— Si le fait de me faire lentement perdre la raison peut être considéré comme un jeu, alors, oui, je suppose que vous avez raison, McGuire.

Elle sentit les larmes prêtes à jaillir.

— Le problème, c'est qu'il a un net avantage sur moi : il sait qui je suis alors que moi, je l'ignore. C'est comme si je devais me défendre dans le noir.

— Détrompez-vous. Vous disposez aussi de cette information. Mais vous refusez de l'admettre, dit Quinn en croisant les bras.

Jane vit ses longs biceps gonfler les manches de son T-shirt.

— Si j'acceptais d'assurer votre protection, tant que je serais avec vous, vous seriez en sécurité. Mais dès que j'aurais tourné les talons, le même danger vous menacerait. Il n'y a que vous qui puissiez découvrir l'identité de ce type et la raison pour laquelle il vous pourchasse. Or, je ne sais pas pourquoi, mais vous vous y refusez.

— Vous n'avez rien compris ! Je vous ai déjà expliqué que j'étais amnésique. Ma mémoire n'est qu'un trou noir, un trou sans fond…

Elle s'était remise à trembler, remarqua-t-elle. Mais cette fois, c'était de colère.

— C'est un trou noir parce que vous le voulez bien.

Froidement, les yeux pâles fixèrent les siens.

— Moi, je vous répète que l'amnésie totale est rarissime, reprit-il. Si vous vouliez vraiment savoir qui vous êtes et pourquoi quelqu'un cherche à vous faire du mal, vous en parleriez à la police et vous les laisseriez mener une enquête. Et cela, vous ne l'avez pas fait, n'est-ce pas ?

— Non, admit-elle en baissant les yeux. Non, c'est vrai. Et je n'en ai pas l'intention.

— Dans ce cas, votre agresseur va attendre que vous soyez de nouveau seule, sans protection. Et il recommencera.

Il secoua la tête.

— Le meilleur conseil que je puisse vous donner, c'est de recommencer une autre vie ailleurs, mademoiselle, conclut-il. Je veux bien vous aider à quitter la ville sans être suivie. Mais si vous ne décidez pas de vous aider vous-même, je ne pourrai rien faire d'autre.

Il refusait. Elle lui avait tout dit. Mais il refusait tout de même de l'aider. Révoltée, elle dit la première chose qui lui vint à l'esprit.

— C'est une histoire d'argent ? Je n'en ai pas beaucoup, mais l'entreprise m'a versé une petite indemnité, en échange de mon silence…

— Ma décision n'a rien à voir avec l'argent.

— Mais vous n'êtes pas en mission en ce moment, s'écria-t-elle d'une voix aiguë.

— Si je ne suis pas encore en mission, c'est parce que j'ai répondu à votre coup de fil cet après-midi, dit Quinn en haussant les épaules. Si vous aviez appelé une demi-heure plus tard, je doute que nous ayons eu l'occasion de nous rencontrer. Et si vous appelez demain, je serai sans doute déjà reparti.

— Vous retournez vous battre, dit-elle lentement. J'aurais dû me douter que ma petite bataille personnelle vous paraîtrait insignifiante à côté de celles auxquelles vous avez l'habitude de participer. Elle ne possède pas les ingrédients que vous recherchez.

Pendant qu'elle parlait, Quinn avait vaguement cherché la serveuse des yeux. Soudain piqué au vif, il tourna vers elle un regard acéré.

— Vous pouvez m'expliquer ce que signifie cette remarque ? s'enquit-il.

— Vous semblez croire que je refuse de vivre, McGuire. Et là, je pense que ce sont vos propres comportements que vous m'attribuez, à tort.

D'une main nerveuse, elle tâtonna à la recherche de son sac.

— Celui qui va au casse-pipe en chantant, c'est vous. Et chaque fois que vous vous en sortez vivant, je suis sûre que vous êtes un peu déçu. Je me trompe ?

— Quand je pars en mission, j'ai toujours pour objectif d'en revenir sain et sauf. Vous ne savez pas de quoi vous parlez, répliqua Quinn en la fixant d'un œil glacé.

Visiblement tendu, il s'était redressé avec raideur sur sa chaise. Il passa une main dans ses cheveux coupés en brosse.

— Bon sang ! gronda-t-il. Ce n'est pas moi qui ai enfermé ma vie dans une boîte noire pour l'enterrer six pieds sous terre tant je la détestais.

Se dressant sur ses pieds, elle contempla l'homme qu'elle avait pris pour son sauveur.

— Vous refusez de l'admettre, reprit-elle, mais derrière chacun de vos choix, il y a ce désir. Moi, j'essaie de m'accrocher à l'existence, mais vous, au plus profond de votre être, vous voulez mourir. Votre sœur, celle qui refuse de vous laisser tranquille, l'avait compris aussi, n'est-ce pas ?

— Vous dépassez les bornes, mademoiselle ! Taisez-vous, s'écria Quinn en se levant à son tour.

Les deux mains appuyées sur la table et les yeux braqués dans les siens, il s'immobilisa. Son visage était à quelques centimètres du sien. Le souffle coupé, elle détourna les yeux. Tout chez Quinn était dur, brutal, masculin. Mais derrière les cils épais et noirs, le regard gris était celui du prince charmant qu'elle attendait.

Une raison de plus pour cesser de croire aux contes de fées, se dit-elle en reculant d'un pas, soudain mal à l'aise.

— Amusez-vous bien à la guerre, monsieur McGuire, énonça-t-elle avec froideur. Je ne vous dis pas au revoir, car je doute que nos chemins se croisent une nouvelle fois.

Durant un long moment, leurs regards restèrent rivés l'un à l'autre. Celui de Quinn, toujours brillant de colère, et le sien, elle le savait, totalement impénétrable. Elle avait essayé, se dit-elle avec lassitude. Elle avait essayé et elle avait échoué. Soudain, elle sentit les larmes qu'elle s'efforçait de retenir depuis le début de la soirée prêtes à jaillir comme pour lui infliger une ultime humiliation.

— Laissez-moi vous aider à quitter la ville, dit Quinn.

Sa colère semblait s'être évanouie en même temps que la sienne. Elle décelait à présent de la compassion dans son ton bourru.

Elle secoua la tête.

— Je vais me débrouiller seule.

Tout ce qu'elle voulait, c'était disparaître avant de fondre en un torrent de larmes sous les yeux de cet homme et d'une bonne dizaine d'étrangers dont la plupart jetaient déjà des regards intrigués dans sa direction.

— Adieu, monsieur Mc… adieu, Quinn, dit-elle.

Avant même que son prénom n'ait franchi ses lèvres, elle avait tourné les talons. Une seconde plus tard, les mains crispées sur la lanière de son sac, les traits contractés, elle se frayait aveuglément un chemin entre les tables en direction des toilettes, à l'autre bout de la salle.

Avec un peu de chance, et elle en avait besoin ce soir, celles-ci seraient désertes. Elle pourrait alors s'enfermer dans une des cabines et pleurer tout son soûl jusqu'à ce que ses yeux soient secs. Ensuite, elle s'en irait — en faisant tout pour éviter de rencontrer Quinn McGuire.

Cela faisait à peine une heure qu'elle connaissait cet homme. Une heure qu'ils avaient passée à ne pas être d'accord. Si, comme il semblait le croire, elle était capable de gommer ainsi à loisir ses souvenirs, alors elle parviendrait sans trop de mal à oublier l'instant où il avait posé sa main sur son bras et caressé sa peau. Cependant, Jane avait l'impression désagréable qu'elle en serait incapable pendant très, très longtemps.

3.

Après avoir tourné les talons pour s'enfuir en direction des toilettes d'un pas raide et maladroit, évitant de justesse deux barmen et une serveuse sur son passage, elle s'était mise à pleurer. Non, rectifia Quinn. Avant même qu'elle ne quitte la table, il avait vu briller les larmes au coin de ses yeux bleus et en avait éprouvé un vif malaise.

Cependant, il était persuadé d'avoir pris la bonne décision.

— La bonne décision, McGuire, marmonna-t-il dans sa barbe. Il fallait bien que quelqu'un lui ouvre les yeux, qu'elle regarde la vérité en face.

D'un trait, il vida le reste de son verre en se demandant soudain s'il était en train de boire du même côté que celui où elle avait posé ses lèvres. Elle ne portait pas de rouge à lèvres. Pourtant, il avait l'impression de goûter la saveur de sa bouche sur le rebord du verre. Un parfum de fraises sauvages, comme celles qu'il ramassait dans les bois quand il était enfant.

Cette femme avait réveillé en lui beaucoup trop de souvenirs, se dit-il soudain. Il lui fallait un autre verre.

A cet instant, la serveuse apparut comme par magie. Un sourire évasif aux lèvres, elle déposa un whisky devant lui et tendit la main pour reprendre le verre vide. Comme Quinn l'en empêchait, elle le dévisagea d'un air perplexe.

— Fais-moi plaisir, Molly. Laisse ce verre ici, dit-il en déposant quelques billets sur le coin du plateau métallique. Cela devrait suffire à payer l'addition. Garde le reste.

Cette fois, la serveuse lui adressa un franc sourire. Il avait tout de même réussi à rendre une femme heureuse ce soir, songea-t-il en levant son verre et en fixant le liquide doré d'un air sombre — et fait s'effondrer tous les espoirs d'une autre.

En réalité… s'il comptait sœur Bertille… le score s'élevait plutôt à deux à un.

… Vous avez une dette envers moi, monsieur McGuire — et le temps est venu de vous en acquitter.

Il avait beau retourner la question dans tous les sens, au bout du compte, il avait triché. Il s'était dérobé à ses obligations. Quinn ferma les yeux et soudain, il la vit, juste en face de lui, pareille à l'image qu'il avait toujours gardée d'elle…

Dans les conditions vétustes de ce petit hôpital de fortune, et sans jamais s'en vanter, sœur Bertille avait accompli de véritables miracles.

Chaque jour, penchée sur lui, elle avait soigné ses blessures. Et lorsqu'il pensait à elle, c'était ainsi qu'il la revoyait. Mais dans ces instants-là, elle ne ressemblait en rien à un ange envoyé du ciel. A vrai dire, Quinn avait toujours pensé qu'elle avait l'air plutôt sévère et lointaine, perdue dans l'austère habit noir qu'elle s'entêtait à porter. Elle avait un parler franc, et bien qu'elle s'exprimât dans un très bon anglais, elle avait aussi un fort accent.

— Vous voulez mourir. Moi, je veux que vous viviez. Que le meilleur gagne, monsieur McGuire, avait-elle annoncé d'un ton péremptoire à l'instant où il avait repris connaissance.

La seule vue de ces yeux noirs emplis de colère, agrandis de manière exagérée par les verres épais des lunettes, avait suffi à le faire basculer de nouveau dans l'inconscience. Mais dressant sa foi et sa volonté de fer contre l'ombre insistante de la mort, sans relâche, elle l'avait chaque fois ramené parmi les vivants. Une fois, une seule, elle avait failli perdre espoir. C'était quand la fièvre qui s'était emparée de lui était montée au-delà de quarante. Pendant vingt-quatre heures, il était entré dans un profond délire et il ne savait pas ce qu'il avait dit alors, mais ses propos semblaient avoir profondément touché la religieuse. De cette nuit et de cette journée d'hallucinations, il se rappelait deux choses.

Il avait des ailes, et il savait que s'il se laissait aller, il quitterait aussitôt les draps trempés de sueur entre lesquels il reposait pour s'envoler vers un ciel plus clair encore que celui vers lequel se dressait le mur du petit hôpital. Il les avait entendues l'appeler, et il s'était senti s'élever à leur rencontre.

Il se souvenait aussi du visage anguleux de sœur Bertille, de ses lèvres qui bougeaient en silence, des grosses larmes qui coulaient derrière les lunettes de guingois. Elle pressait quelque chose de lourd et de froid sur son front. Puis, juste avant l'aube, la fièvre était tombée. Il avait alors ouvert les yeux et l'avait vue, assise à son chevet, baignée par la lumière dorée de la lampe à pétrole suspendue au-dessus de sa tête. Son chapelet entre les mains et la bouche entrouverte, épuisée, elle avait fini par s'assoupir. Sentant toujours ce poids sur son front, il y avait porté la main pour s'en débarrasser. C'était la croix qu'elle portait autour du cou.

Quand l'occasion se présentera, vous le saurez...

Quand l'occasion s'était présentée, il l'avait su aussitôt. Et il avait tout fait — tout fait pour s'en dégager.

— Tu n'es qu'un lâche, Quinn McGuire, gronda-t-il à voix haute. Un lâche, stupide et malhonnête. Tu espérais peut-être te débarrasser de cette dette la conscience tranquille. Pauvre fou !

Quand Jane sortirait des toilettes, il allait la rattraper et lui annoncer qu'il avait changé d'avis. Elle n'avait pas besoin de savoir pourquoi. Lui-même ne le savait pas vraiment. Mais si quelqu'un avait besoin de protection, et même si la moitié de ce qu'elle racontait était faux, c'était bien elle, l'envoyée de sœur Bertille.

—... *Je sais qui vous êtes.* Quel truc effrayant !

— Ce doit être un dingue. Je m'attendais à voir un fou passer la tête au-dessus de la cloison. Quelle trouille !

Le temps que son esprit enregistre les quelques bribes de conversation qu'il venait de surprendre, les deux jeunes femmes qui passaient devant sa table avaient déjà commencé à s'éloigner. Se levant d'un bond, Quinn leur barra le passage. L'une d'elles, une blonde, eut un sursaut.

— Hé, vous m'avez fait peur !

Puis, jaugeant Quinn du regard, elle sembla se détendre.

— Je pense que monsieur devrait nous offrir un verre pour se faire pardonner. Qu'en penses-tu, Kathy ?

Mais avant que son amie n'ait eu le temps de répondre, Quinn avait saisi la blonde par l'épaule.

— Je vous ai entendue prononcer ces mots : *je sais qui vous êtes.* De quoi parliez-vous ?

— Monsieur ! s'écria la jeune femme.

L'attitude engageante de la blonde s'était soudain muée en mécontentement.

— Otez votre main, s'il vous plaît, ordonna-t-elle.

— C'est très important, gronda Quinn avec une impatience manifeste.

S'efforçant de surmonter sa propre irritation, il lâcha la jeune femme.

— De quoi parliez-vous ? demanda-t-il d'une voix plus posée.

— On a vu ça dans les toilettes, s'empressa de répondre l'autre fille après avoir observé son expression inquiète. C'était écrit en rouge sur le miroir au-dessus des lavabos, ajouta-t-elle, avec calme et concision. J'en ai eu le frisson…

Elle n'avait pas terminé sa phrase qu'il les avait déjà contournées pour se diriger à grands pas vers l'autre bout de la salle. Sur son passage, Quinn repoussa violemment du coude un grand costaud portant un T-shirt de l'Université de Yale. Il entendit un bruit de verre cassé dans son dos et sentit la pression agressive d'une main sur son épaule. Sans même se retourner, il l'agrippa et s'en débarrassa avec autorité.

Il n'était plus qu'à quelques mètres de la porte des toilettes quand toutes les lumières s'éteignirent. La salle entière fut alors plongée dans une obscurité totale et Quinn entendit une femme hurler. C'était un cri de terreur.

— Pas de panique ! Ne vous inquiétez pas. Dans une minute, nous aurons rétabli la lumière. Que tout le monde garde son calme et reste à sa place.

Quelqu'un s'efforçait d'apaiser le brouhaha inquiet qui avait commencé à s'élever dans la salle. Les toilettes des dames devaient être tout près, songea Quinn avec agacement tout en se frayant un passage dans la foule. Avant que la lumière ne s'éteigne, un paravent humain en cachait l'entrée et il n'avait pas pu la localiser avec précision. Mais c'était là qu'était Jane, se dit-il en longeant le mur à tâtons avant de buter contre un angle. Il avait pris la mauvaise direction.

Son cri, car c'était elle qui avait hurlé — au plus profond de son être, il en était persuadé —, s'était interrompu brusquement. Cela signifiait qu'à cet instant, par sa faute, il était peut-être déjà trop tard.

Soudain, sa main rencontra une poignée. Il la tourna et ouvrit violemment la porte qui grinça sur ses gonds.

De hautes fenêtres entrebâillées laissaient filtrer la lueur de la lune. Contre le mur de droite, Quinn distingua l'alignement sombre d'une série de cabines, toutes ouvertes. Sur l'autre mur était scellé un long plateau incrusté de lavabos et surmonté d'une immense glace. L'endroit était désert.

Quinn surprit alors le mouvement d'un reflet dans le miroir sombre. D'instinct, il se retourna. Mais il ne vit rien. Comme il posait de nouveau les yeux sur le miroir, le même reflet attira son regard.

Pivotant vivement sur lui-même, il fixa le plafond de la dernière cabine. Paralysé d'horreur, Quinn sentit son cœur dégringoler dans sa poitrine.

Elle était là, pendue comme à un gibet. Et au moment où son esprit enregistrait ce qu'il était en train de voir, les pieds de Jane s'immobilisèrent.

— Oh, mon Dieu, non ! Je vous en prie. Non !

Mais Quinn n'était pas homme à se reposer sur une quelconque intervention divine. En un éclair, il s'était jeté à l'intérieur de la cabine et se tenait déjà en équilibre instable sur le réservoir des toilettes. Sous le faux plafond arraché s'entrecroisaient une série de tuyaux. Pour s'assurer un meilleur équilibre, il en saisit un d'une main et enroula son autre bras autour du corps de Jane afin de soulager la pression exercée sur son cou. La tête de la jeune femme retomba, inerte, sur une de ses épaules.

La lumière — qu'attendaient-ils pour remettre cette satanée lumière ? Privée des boutons qui, un peu plus tôt, s'y alignaient sagement, la robe de Jane s'était ouverte sur son buste et Quinn sentait sa peau nue sous son bras.

Lumière ou pas, il fallait qu'il parvienne à la libérer. Elle avait besoin de soins urgents. Et il n'arrivait même pas à savoir si son cœur battait encore. Il ne pouvait espérer défaire le nœud d'une seule main tout en continuant de la soutenir de l'autre. Il allait donc devoir procéder d'une autre manière.

Le bâtiment n'était pas récent et la plomberie devait être en zinc ou en plomb, deux matériaux connus pour leur manque de solidité. D'après le filet d'eau qu'il sentait arriver sur lui, il devait également y avoir un joint usé près de l'endroit où était attachée la corde. Si, sans lâcher le tuyau, il lançait ses jambes dans le vide, leurs deux poids devraient suffire à faire céder le tuyau.

Tout ce qu'il espérait, c'était que celui-ci casse assez près du nœud pour libérer la corde.

Apparemment, quelque part en Belgique, tout un couvent priait en ce moment pour lui. Cela devrait tout de même aider, se dit-il avec ironie.

Lâchant la prise qui avait jusque-là servi à assurer son équilibre, Quinn agrippa de manière instinctive le tuyau si ignoblement transformé en potence. Puis, serrant Jane contre lui avec une force décuplée par l'angoisse, il se lança dans le vide.

Il entendit alors un affreux craquement et soudain, ce fut comme si lui et la femme qu'il cherchait à sauver avaient basculé d'une falaise pour plonger dans une chute d'eau.

Amortissant la chute de Jane avec son corps, Quinn atterrit presque immédiatement au sol. En provenance des tuyaux cassés, des trombes d'eau se déversaient à présent sur eux. En d'autres circonstances, il se serait empressé d'éloigner Jane de ce flot glacé. Mais il n'y avait pas une minute à perdre, se dit-il avec angoisse. Si son cœur s'était vraiment arrêté, il allait devoir la réanimer au plus vite.

Assis à califourchon sur elle, il écarta brutalement les pans de la robe, qui se déchira plus bas qu'il ne l'aurait voulu. D'une main impatiente, il repoussa ensuite l'élastique du soutien-gorge et se pencha sur la poitrine d'albâtre, à l'écoute du seul son qu'il espérait entendre. Le cœur ne battait plus. Quinn sentit le sien s'arrêter.

C'était ce genre de sentiment qu'avait dû éprouver sœur Bertille des années auparavant, songea-t-il, l'esprit comme paralysé, en appliquant ses deux paumes sur la poitrine de Jane. Le sentiment de s'engager dans une bataille personnelle — une bataille contre la nuit qui, déjà, enveloppait la jeune femme comme un linceul.

— Qu'elle vive, marmonna-t-il en pressant de toutes ses forces ses deux mains sur les os fragiles. Que le meilleur gagne, ajouta-t-il dans un souffle.

Pendant ce temps, des trombes d'eau glacée continuaient de se déverser sur son dos. Son T-shirt collé à lui comme une seconde peau, il protégeait la jeune femme de la violence du jet. Les secondes se faisant minutes sans qu'il parvienne à sentir l'écho tant attendu sous ses doigts, il commença à douter de sa réussite. Redoublant alors d'une énergie désespérée, il poursuivit sa tâche, s'adressant directement non pas à Jane, mais à son cœur.

Il était en train de devenir à moitié fou. Mais qu'importe.

— Elle ne s'en souvient pas, mais toi, oui, gronda-t-il. Rappelle-toi. Il y a bien eu un premier baiser — rappelle-toi comme ton rythme s'est accéléré, alors. Rappelle-toi comme tu t'es senti défaillir. Tu as battu plus fort, à ce moment-là, n'est-ce pas ? Et ce soir, quand j'ai posé ma main sur son bras et que j'ai caressé sa peau soyeuse comme du velours — ne me dis pas que tu n'as pas fait un peu de travail supplémentaire, parce que je sais très bien que tu t'es emballé. Je t'ai senti, Bon Dieu. Même si elle a protesté, toi, tu m'as répondu, pas vrai ? Alors, réponds maintenant, réponds !

Deux choses se produisirent alors, de manière parfaitement simultanée.

Soudain, la lumière revint. Et au même instant, comme si le courant qui passait dans le système électrique avait traversé son corps, Jane ouvrit les yeux. Ils étaient vitreux et son regard était flou. Mais ils étaient ouverts — et son cœur s'était remis à battre !

Comme une sorte de collier obscène, une corde de Nylon d'un jaune criard ceignait son cou. D'instinct, elle y porta les mains. Elle n'avait pas encore prononcé un mot. Lui non plus. Pour l'instant, ce n'était pas nécessaire. Sans la quitter des yeux, Quinn écarta ses mains de la poitrine dénudée et y ramena les deux pans de la robe en lambeaux.

— Je n'ai pas eu le choix, vous comprenez ? dit-il d'une voix douce.

Plus tôt dans la soirée, elle avait semblé paniquer alors que ses mains à lui étaient bien moins indiscrètes qu'à présent. Après ce qu'elle venait de traverser, il eut peur que le fait de le découvrir ainsi accroupi sur elle ne déclenche en elle une crise d'hystérie.

— Enlevez ça... enlevez ça de mon cou. Débarrassez-moi de ça, supplia-t-elle.

Sa voix était rauque, assourdie. Et la pointe d'hystérie qu'il avait redoutée était bien là. C'était compréhensible. Avec précaution, il passa un bras autour de son buste et la redressa en position assise. Repoussant quelques mèches de cheveux châtains à la base de sa nuque, il découvrit alors avec colère le nœud coulant. Les mâchoires serrées, il fit vivement glisser la corde hors du nœud. Puis, avec violence, il la jeta de toutes ses forces à l'autre bout de la salle. Enfin, il déplaça Jane de façon à l'éloigner du jet constant qui continuait de s'abattre sur eux.

— Que s'est-il passé ? D'où vient toute cette eau ? demanda-t-elle d'une voix blanche.

Les mots semblaient avoir du mal à franchir sa gorge, mais il savait qu'elle avait besoin de parler, de détourner ses pensées de l'horreur qu'elle venait de vivre en se concentrant d'abord sur les détails.

— J'ai dû casser un tuyau pour vous libérer, mais ce n'est pas très important. Vous voulez que j'appelle la police ? demanda-t-il en lui relevant le menton du bout du doigt pour qu'elle le regarde dans les yeux.

— La police ?

Jane secoua violemment la tête. Des mèches de cheveux trempés se collèrent à ses joues.

— Non. Je vous l'ai déjà dit, je... je ne veux pas qu'ils m'interrogent. Je veux m'en aller d'ici.

— Je sais. Mais après ce qui vient de se passer, il faut les prévenir. Si vous avez réussi à apercevoir votre agresseur, ils pourraient faire un portrait-robot...

— Je ne l'ai pas vu. Tout ce que j'ai vu, c'est...

Ses yeux se tournèrent vers le message en lettres rouges gribouillé sur le grand miroir pour s'en détacher aussitôt.

— Et puis la lumière s'est éteinte et il... et il...

— Il vaut mieux attendre un peu avant d'en parler. Vous êtes encore sous le choc, dit Quinn en lui adressant un regard inquiet. Partons avant que quelqu'un ne vienne voir ce qui se passe ici.

Baissant les yeux, Jane prit alors conscience de son corps dénudé, pressé contre celui d'un homme dont les vêtements trempés collaient à sa peau. Quinn suivit son regard de manière involontaire.

Un peu plus tôt, il avait tenté de refermer les pans déchirés de sa robe. En vain. Celle-ci, réduite à l'état de haillons, ne dissimulait plus rien des courbes gracieuses de sa propriétaire — gracieuses, mais aussi incroyablement voluptueuses, avec des seins parfaits, à la blancheur de lait, surmontés de deux éminences roses. Une fois de plus, il pensa aux fraises sauvages.

— Je vous en prie, cessez de me regarder ainsi, s'écria-t-elle, brusquement paniquée.

Elle avait rougi et croisé les bras sur sa poitrine.

Quinn détourna aussitôt les yeux d'un air coupable.

— Tenez, couvrez-vous avec ceci, dit-il, en s'asseyant sur ses talons et en arrachant son propre T-shirt — un vieux T-shirt trop grand et trempé qui lui arriverait sans doute aux genoux — mais qui aurait le mérite de dissimuler ce qu'elle souhaitait cacher.

— Merci, murmura Jane en enfilant le vêtement.

Ce qu'il vit alors lui coupa une deuxième fois le souffle.

Ce n'était pas pour rien que les concours de T-shirts mouillés avaient tant de succès, se dit-il en son for intérieur. Ses courbes moulées à souhait par le coton gorgé d'eau, et la pointe dressée de ses seins soulignée avec acuité, Jane en démontrait l'attrait sans le savoir.

— Vous m'avez sauvé la vie, j'en suis consciente, dit-elle d'une voix encore affaiblie.

— C'est normal, n'en parlons plus. Et maintenant que votre tenue est plus décente, tâchons de filer d'ici sans attirer l'attention.

Son ton était plus brusque qu'il ne l'aurait souhaité et le fort accent dont il pensait s'être débarrassé depuis des années avait également repris le dessus. Il s'éclaircit la gorge.

— Il doit y avoir une sortie de secours par ici...

Déconcerté par l'expression de Jane, Quinn s'interrompit. Les lèvres entrouvertes, les joues plus rouges encore que lorsqu'elle avait surpris son regard rivé sur elle, elle le fixait avec des yeux agrandis dont la couleur avait viré au bleu marine. Elle fixait...

D'accord, Quinn était nu jusqu'à la ceinture. Mais il n'y avait rien de choquant à ce qu'un homme enlevât son T-shirt devant une femme. On était loin de l'ère victorienne. Pourtant, semblant au bord de la pâmoison, elle le dévorait littéralement du regard.

Quinn n'était guère habitué à ce genre de femmes. Quand il était en mission, il préférait se concentrer sur son travail, évitant sans difficulté les relations hasardeuses. A Boston, en revanche, il s'engageait souvent dans de brèves aventures. Ce qu'il recherchait, c'était des partenaires pour qui le sexe était quelque chose de léger, n'impliquant aucun engagement durable.

Or, cette jeune femme aux émotions fragiles, à la sensualité réprimée, le déroutait. Baissant les paupières, elle inclina légèrement la tête et, de manière quasi imperceptible, elle approcha son visage du sien. Sans savoir ce qui lui arrivait, Quinn franchit alors le dernier espace qui les séparait. Enroulant sa main autour de la nuque délicate, comme un adolescent avide de donner son premier baiser, il ferma les yeux.

Les lèvres de Jane étaient fraîches et mouillées. Il sentit les gouttes qui coulaient de ses cheveux courts se mêler à celles qu'il buvait à sa bouche, tandis que l'eau qui giclait du tuyau au-dessus de leurs têtes ruisselait sur eux.

C'était comme s'il embrassait une sirène.

Ensuite, les lèvres de Jane s'entrouvrirent et à ce moment-là, Quinn n'eut plus aucun doute : c'était bien une femme en chair et en os qu'il embrassait — l'essence même d'une femme, si concentrée, si pure, qu'il eut l'impression de ne jamais avoir connu un vrai baiser auparavant. L'étreinte de sa main se resserra sur la nuque fragile tandis que l'autre remontait vers son visage tendu vers lui. Un léger soupir franchit alors les lèvres de Jane.

Puis, tout à coup, tout bascula. Quinn la sentit se raidir contre lui et ouvrit les yeux, juste à temps pour voir ceux de Jane, agrandis par le choc. La main appliquée sur sa bouche comme pour la protéger, elle s'écarta brusquement de lui.

— Non ! s'écria-t-elle en le dévisageant comme si elle le voyait pour la première fois.

Ce n'était pas de la coquetterie de sa part. Ses yeux exprimaient vraiment le rejet et elle était pâle comme une morte. Quinn se vit soudain comme elle devait le voir — imposant, menaçant. Comme une brute qui se serait jetée sur elle. Il savait que pendant une fraction de seconde avant que la situation ne dégénère, il aurait pu éviter de basculer dans le vertige.

— Ce n'est pas votre faute, énonça-t-il.

S'efforçant de ne faire aucun geste qui puisse l'effrayer, il garda les mains bien en vue sur ses genoux.

— C'est à cause du choc — c'était juste une réaction au choc.

— Mais vous aussi, vous m'avez embrassée !

Les bras croisés sur sa poitrine, elle étreignait son buste comme si elle avait peur que son corps ne lui échappe.

Quinn sentit son cœur se serrer. Il croyait s'être endurci au point d'avoir perdu toute compassion. Apparemment, il se trompait. Qu'est-ce qui avait pu détourner une femme aussi belle et sensuelle de sa nature profonde ? Une nature passionnée, ainsi que venait de le révéler l'intensité incroyable de ce baiser. Pour qu'une telle femme se recroqueville ainsi sur elle-même au moindre contact, il avait fallu que quelqu'un la blesse au plus profond de son être. Un homme, sans doute, se dit-il, les poings soudain serrés.

— C'est vrai, admit-il. Mais cela ne se reproduira plus, je vous le jure. Vous me faites confiance ?

Elle scrutait son visage. Lentement, elle desserra l'étreinte de ses bras autour de son buste et sans le quitter des yeux, elle hocha la tête.

— Je pense que vous êtes un homme de parole, McGuire.

Un homme de parole. Pas toujours, se dit Quinn en repensant à une certaine promesse faite dans un hôpital de fortune. Mais il n'eut guère le temps d'épiloguer sur se sujet. Au moment où, la main tendue vers Jane pour l'aider à se relever, il se dressait lui-même sur ses pieds, il entendit frapper à la porte. Puis, sans attendre, celle-ci s'ouvrit avec autorité.

— Bon sang… que se passe-t-il ici ?

L'exclamation venait d'un petit homme aux cheveux roux et à la calvitie prononcée, qui, les yeux écarquillés, les fixait d'un air stupéfait. Sur une panse apparemment développée par la bière, il portait un gilet vert dont les boutons semblaient prêts à exploser.

— Je viens vérifier si la lumière est bien revenue dans les toilettes des dames, et qu'est-ce que je trouve ? Une zone complètement sinistrée ! vociféra l'homme.

Promenant un regard horrifié sur la pièce inondée, il fronça les sourcils en découvrant le message inscrit en lettres rouges sur le miroir.

— « *Je sais qui tu es* » ! J'aimerais bien le savoir aussi. Qui êtes-vous, tout les deux ? Et que faites-vous ici ?

Quinn acheva de se redresser et l'homme interrompit aussitôt sa tirade. Debout à son côté, perdue dans cet immense T-shirt, Jane avait l'air bien plus fluette et plus fragile qu'elle ne l'était en réalité. Elle était aussi plus forte qu'elle n'en donnait l'impression, se dit soudain Quinn — exactement comme une autre personne qu'il avait connue jadis.

C'est bon. Je me rends, ma sœur, songea-t-il avec amertume. *J'aurais dû me douter dès le début que je ne gagnerais pas cette bataille.*

Avec prudence, il posa alors un bras protecteur sur les épaules de Jane.

— Cela me semble pourtant évident, gronda-t-il à l'adresse de son interlocuteur. Je suis le garde du corps de madame.

4.

— Qu'imaginiez-vous ? Vous cherchiez un garde du corps, non ? Bien sûr que je reste ici cette nuit. A partir de maintenant, ma belle, je ne vous quitte plus d'une semelle.

— Il n'en est pas question ! répliqua Jane sans même lever les yeux.

Elle continua de fourrager dans son sac dont elle finit par extraire un trousseau de clés.

— Pourriez-vous baisser le ton, s'il vous plaît ? La plupart des locataires de cet immeuble se lèvent tôt. Et je préférerais qu'ils ne m'entendent pas me disputer avec un homme au beau milieu de la nuit.

Quinn lui prit les clés des mains.

— Pourquoi cherchez-vous toujours à me contrarier ? Ne vous ai-je pas soutenue, tout à l'heure, dans le pub, quand vous avez refusé d'appeler la police ? Pourtant, j'ai eu du mal à convaincre, à force de charme, le patron de passer cette affaire sous silence.

— Vous appelez cela du charme ? C'était plutôt du chantage.

— Oui, bon. Disons que c'est ma conception personnelle de ce que peut être le charme. Quelle est la clé qui ouvre cette porte ?

Le bâtiment était une ancienne demeure victorienne reconvertie en appartements, et comme l'Irlandais à la silhouette imposante qui se dressait devant elle, elle était dénuée de tout charme. Ils se trouvaient juste sous l'ampoule qui éclairait l'entrée principale de la maison. Jane vit alors un rideau bouger derrière une fenêtre du rez-de-chaussée et sentit son cœur dégringoler dans sa poitrine.

Quinn était toujours torse nu et elle, perdue dans ce grand T-shirt trempé, les cheveux collés au visage, n'avait guère meilleure allure. Même le chauffeur de taxi avait eu un regard méfiant en les laissant monter dans son véhicule. Alors, la vieille dame acariâtre qui avait accepté de lui louer cette chambre ne tarirait pas de commentaires si elle les découvrait ici.

— C'est la clé dorée, gronda-t-elle entre ses dents. Vous pouvez entrer le temps que je vous rende votre T-shirt, mais ensuite, vous devrez partir.

— On verra, répliqua Quinn d'un ton sec.

La lumière sculptait des ombres lugubres autour de sa bouche. Il inséra la clé dans la serrure et tourna la poignée de la porte qui s'ouvrit aussitôt.

— Vous appelez cela un système de sécurité ? dit-il en grimaçant.

— Je sais. Il arrive même que les gens oublient de refermer la porte, répondit Jane. Je n'y peux rien. Mais j'ai deux verrous, et une chaîne en acier sur la porte de ma chambre, et là, je suis en sécurité.

— Oui, mais il vous faut tout de même monter trois étages. Vous m'avez bien dit que vous habitiez au dernier ? demanda-t-il en la précédant dans le vestibule démodé.

Sur ses talons, elle commença à gravir le vieil escalier aux larges marches de bois. Il avait raison quant à son attitude, se dit-elle. Dans le pub, ils s'étaient alliés un moment pour affronter le propriétaire offusqué. Mais une fois dans le taxi, elle s'était enfermée dans un silence hostile. Et bien que Quinn n'ait guère parlé non plus, sa seule présence l'avait oppressée tout le long du trajet.

Elle ignorait pourquoi il avait changé d'avis et soudain décidé d'accepter sa proposition. Mais elle savait fort bien pourquoi *elle* était réticente…

Deux fois — deux fois au cours d'une seule soirée — elle s'était comportée de manière inexplicable envers cet homme. La première fois, c'était quand il avait posé la main sur son bras. La deuxième, c'était quand elle, de sa propre initiative, l'avait embrassé.

Que lui était-il arrivé ? Sa propre réaction lui paraissait aussi déroutante et effrayante que les incidents étranges dont elle était victime depuis plusieurs semaines. Mais ce soir, c'était d'elle-même qu'elle commençait à avoir peur.

Ils arrivaient au deuxième étage.

— L'ampoule du palier est morte. Ce serait l'endroit idéal pour vous agresser, affirma Quinn en se tournant vers elle.

Jane ne répondit pas. Un rictus de mécontentement crispait les traits de Quinn, mais il n'insista pas. Avec un regard désapprobateur sur le papier déchiré et les montants disloqués de la rampe, il commença à gravir la dernière volée de marches.

Jusqu'à présent, elle s'était toujours sentie en sécurité ici. Comment un inconnu parviendrait-il à la surprendre dans cette cage d'escalier ou, a fortiori, à entrer chez elle par effraction, sans se faire remarquer ou se trouver carrément nez à nez avec ses voisins de palier, Carla et son ami Gary ?

Elle avait pensé que Quinn pourrait avoir un rôle dissuasif en l'accompagnant quelque temps dans ses sorties, indiquant ainsi qu'elle n'était plus seule, sans protection. Secrètement, elle avait espéré qu'au bout de quelques jours, son mystérieux adversaire abandonnerait la partie.

Et elle l'espérait encore. L'agression de ce soir représentait peut-être le point culminant de son jeu pervers. Il l'avait approchée d'assez près pour sentir sa peur. Et même si Quinn avait surgi à temps pour la libérer, ce qu'elle avait enduré suffirait peut-être à satisfaire une fois pour toutes les pulsions morbides de son agresseur.

Elle voulait y croire. Elle n'avait guère le choix, de toute façon, parce que après ce qui venait de se dérouler entre eux, Jane n'avait pas l'intention de passer plus de temps que nécessaire en compagnie de Quinn McGuire.

Pourtant, il était là, devant sa porte qu'il déverrouillait d'un geste sûr. Dans une seconde, ils seraient tous deux à l'intérieur. Et une fois la porte refermée, il lui annoncerait qu'il n'avait pas l'intention de partir. Jane sentit une vague de panique soulever sa poitrine.

— Je vais entrer le premier. Où est l'interrupteur ? demanda Quinn en lui rendant ses clés.

Avant de pénétrer dans la chambre, il fit une pause.

— Il est… à gauche, tout de suite en entrant.

Jane se rendit compte que sa voix avait tremblé. Sa gorge était sèche. Elle avala sa salive.

— Mais les serrures étaient intactes, alors je ne vois pas ce…

— Oui. La serrure n'a pas été dynamitée et la porte n'était pas défoncée, ni sortie de ses gonds, gronda Quinn. Bon sang, c'est quoi votre problème ? Je suis simplement en train de faire le boulot pour lequel vous m'avez engagé. Alors, s'il vous plaît, laissez-moi agir à ma guise !

Son ton était dur et son regard avait perdu le semblant de chaleur qu'elle y avait vu un peu plus tôt dans la soirée. Jane sentit sa panique s'apaiser. Ce Quinn-là — le professionnel froid aux manières brusques qui se dressait à présent devant elle —, elle se sentait capable de l'affronter. Elle s'écarta pour le laisser pénétrer dans l'appartement.

En réalité, ce n'était qu'une chambre — une petite chambre avec une minuscule salle d'eau. Mais dès qu'il eut posé le pied dans la pièce, celle-ci sembla encore plus étroite, plus étouffante que jamais. Le plafond qui allait s'abaissant dès l'entrée jusqu'au mur opposé ajoutait encore à cette impression de claustrophobie. A l'autre extrémité de la chambre, au-dessus du lit, Jane elle-même ne pouvait se tenir debout.

D'habitude, c'était vivable. Mais, avec son mètre quatre-vingt-sept et ses épaules de rugbyman, Quinn serait bien obligé d'admettre qu'il ne pouvait partager cet espace avec elle.

— C'est compact, dit-il.

Il promena un regard approbateur autour de lui.

— Je vais me sentir comme à la maison. Cela me rappelle la caserne.

Consternée, Jane pressa ses paupières l'une contre l'autre en soupirant. Le dos courbé, Quinn se dirigeait déjà vers la salle de bains. Il en ouvrit la porte et appuya aussitôt sur l'interrupteur. Elle vit alors son dos se raidir.

Une seconde plus tard, en deux enjambées, il l'avait rejointe au milieu de la chambre.

— Il est venu ici, dit-il d'une voix égale. Non, n'entrez pas.

Trop tard. Déjà, Jane se précipitait vers la salle d'eau. Dès le seuil de la porte, les yeux écarquillés d'horreur, elle se figea.

Comme dans les toilettes du pub, il y avait un miroir au-dessus du lavabo. Mais là ne s'arrêtait pas la similitude. Bien que plus petit, le miroir arborait le même message gribouillé en lettres rouges. Et cette fois, son bourreau avait ajouté la deuxième partie du message : « Je sais ce que tu as fait. » Les lettres étaient encore fraîches et des coulures rouge foncé dégoulinaient le long du miroir. La main tendue devant elle, les doigts raides, Jane fit un pas en avant.

— N'y touchez pas, s'écria Quinn en l'agrippant par l'épaule.

Mais il la lâcha aussitôt. Son visage était fermé, dur.

— Oui, c'est du sang. J'en ai senti l'odeur assez de fois pour la reconnaître.

— Oh, mon Dieu, s'exclama Jane d'une voix hystérique. Mon Dieu, Quinn… il a tué quelqu'un ! Il a fini par tuer quelqu'un… j'aurais dû vous laisser appeler la police tout à l'heure…

Une fois de plus, Quinn appliqua ses mains sur ses épaules. Cette fois, il les y laissa.

— Il n'a tué personne… pas pour écrire ce message, en tout cas. Calmez-vous, Jane, dit-il en la secouant un peu. Ce n'est pas du sang humain. Je mettrais ma main à couper que c'est celui d'un animal.

— Comment pouvez-vous en être sûr ?

Son regard affolé se posa une fois de plus sur le miroir.

— D'après moi, ce type n'a pas l'intention de tuer qui que ce soit. Pas encore, en tout cas, ajouta-t-il en l'attirant loin de la porte. Et quant à la police, elle ne devrait pas tarder à arriver. Vous feriez peut-être mieux de vous changer avant.

Heureusement, elle n'était qu'à un pas du lit, se dit Jane, comme tétanisée, avant de s'y effondrer. Ses jambes semblaient s'être détachées de son corps et son cerveau refusait de fonctionner. Elle fixa Quinn d'un air hagard.

— La police va venir ? Je ne comprends pas, dit-elle en secouant la tête. Vous ne les avez même pas appelés…

Le voile qui brouillait son esprit se déchira d'un coup. Elle prit alors une brève inspiration.

— Vous les avez appelés du pub.

— Pas moi. Mais j'ai pris le patron à part. Je lui ai communiqué votre adresse et je lui ai demandé d'envoyer la police ici pour vous interroger.

Il détourna le regard et Jane vit un muscle tressaillir dans sa mâchoire.

— Vous pensez que je vous ai trahie, dit-il en posant de nouveau son regard sur elle. Mais vous vous trompez…

— C'est pourtant exactement ce que vous avez fait. C'est la seule manière dont je peux interpréter votre acte, McGuire.

Ses mains tremblaient si fort qu'elle n'arrivait pas à saisir les bords du T-shirt qu'elle portait.

— Retournez-vous. Je veux enlever ce Bon Dieu de T-shirt et enfiler quelque chose qui m'appartienne. Ensuite, je vais faire ce que vous m'avez suggéré : sauter dans le premier bus en partance de Boston.

A côté du sofa se trouvait une petite penderie creusée à même le mur. Ce n'était qu'une courte tringle en métal fixée entre deux solives. Mais cet espace réduit suffisait à accueillir les deux ou trois vêtements qui y étaient suspendus. Jane se leva et détacha un sweat-shirt de son cintre. Quinn lui avait tourné le dos. Au moins, cette requête-là, il l'avait respectée, se dit-elle avec une colère contenue.

— Que vouliez-vous que je fasse ?

Pendant qu'il parlait, sans le quitter des yeux, elle s'arracha en hâte au T-shirt glacé, amena le corsage de sa robe en lambeaux sur sa taille et enfila son sweat-shirt. Puis, tendant la main vers l'unique étagère qui surmontait la tringle, elle s'empara d'un pantalon de survêtement.

— Très bonne question, dit-elle tout en se débarrassant de ses chaussures et en faisant glisser sa robe et son slip trempés jusqu'à ses chevilles.

Après les avoir repoussés du pied, elle sauta dans le pantalon de survêtement, les yeux toujours rivés sur le dos de Quinn.

Tout près de son épaule droite, une large cicatrice qu'elle n'avait pas remarquée jusque-là zébrait sa peau. Une telle blessure, si elle avait été profonde, aurait pu lui être fatale. Etant donné son emplacement, elle avait dû manquer le cœur de peu.

Jane serra les lèvres et se concentra sur le nœud de son pantalon de jogging. La survie et la sécurité de Quinn McGuire n'étaient pas son affaire — de même que la sienne n'était plus l'affaire de McGuire non plus.

— Ce que j'espérais, c'était que vous assureriez ma protection pendant quelques jours, dit-elle d'un ton aigre tout en enfilant une paire de baskets.

Elle se pencha pour les lacer.

— De manière on ne peut plus claire, vous avez d'abord refusé ma proposition. A la suite de quoi, je pensais ne plus jamais vous revoir. Ensuite, après m'avoir sauvé la vie, vous avez annoncé au patron du pub que vous étiez mon garde du corps. J'ai alors cru que vous vous étiez rangé de mon côté. Je ne m'attendais vraiment pas que vous fassiez la seule chose que je refuse de faire à tout prix.

— Je peux me retourner, maintenant ? demanda Quinn d'un ton sarcastique.

Sans attendre la réponse de Jane, il pivota sur ses talons et s'empara de son T-shirt abandonné sur le bras du canapé-lit. Le contact du tissu mouillé sur sa peau lui arracha une grimace.

— Mais enfin. Vous avez été agressée. D'accord, vous n'étiez sans doute pas censée mourir ce soir. Mais ce type se rapproche…

— C'est la deuxième fois que vous dites cela. J'ai réellement failli mourir, McGuire. Si vous n'étiez pas arrivé à temps, à l'heure qu'il est, je ne serais plus de ce monde.

Jane sentit soudain son agressivité la déserter. S'affaissant sur le sofa, elle porta son poing à sa bouche.

— Il avait une force herculéenne, murmura-t-elle. Vous ne pouvez pas imaginer la force qu'il avait. J'ai dû crier — je ne m'en souviens pas. Ce que je sais, c'est qu'avant que je n'aie le temps de réagir, il avait déjà passé cette corde autour de mon cou. Puis j'ai reçu un coup violent derrière la tête et j'ai perdu connaissance. Quand je suis revenue à moi, mes pieds se balançaient dans le vide. Je sentais ses bras me soutenir par la taille. Puis, tout à coup, il a tout lâché.

Jane pressa ses paupières l'une contre l'autre.

— Ne me dites pas qu'il n'avait pas l'intention de me tuer. Il ne pouvait pas savoir que vous arriveriez si vite.

— Il a bien failli vous tuer, c'est exact. Mais ce n'était pas son objectif. Il voulait vous faire peur, c'est tout.

Quinn vint s'asseoir à côté d'elle.

— Avant que nous ne sortions des toilettes, poursuivit-il, j'ai examiné la corde. Elle était entamée presque jusqu'au cœur. Si vous vous étiez débattue une minute de plus, elle aurait cédé et vous seriez tombée avant de perdre connaissance.

Il fronça les sourcils.

— De plus, il a dû voir que vous n'étiez pas seule. Quand il a fait sauter les fusibles, il s'est sûrement douté que j'allais m'inquiéter et me lancer à votre recherche.

— C'est lui qui a fait sauter les…

Jane s'interrompit.

— Oui. C'est logique, reprit-elle d'une voix blanche. Je n'y avais pas pensé.

— Le boîtier électrique se trouve sur le mur entre les toilettes des femmes et celles des hommes. Il a dû abaisser le disjoncteur dès qu'il vous a vue seule dans les toilettes. Avec la confusion qui régnait dans la salle, il savait qu'il avait quelques minutes devant lui avant que je n'arrive. Je pense qu'il est ressorti par une des fenêtres des toilettes. Ce type en est encore au stade du jeu, énonça Quinn avec dureté. Mais nous, nous ne jouons plus. Vous devez tout raconter à la police — y compris le fait que vous ne savez pas qui vous êtes et que votre agresseur, lui, le sait.

— Vous oubliez la seconde partie du message. Il sait aussi ce que j'ai fait, dit Jane en se levant.

Elle traversa la pièce et s'empara de son sac posé sur le petit comptoir qui séparait la chambre du minuscule coin cuisine. Puis, pensant qu'il était toujours assis sur le canapé, elle se retourna. Mais Quinn était déjà debout devant elle.

— Je ne peux pas vous laisser partir.

Baissant les yeux vers elle, il la dévisagea d'un air préoccupé.

— Vous vous souvenez, n'est-ce pas ? Vous vous souvenez de quelque chose. C'est pourquoi vous avez si peur d'être interrogée.

— C'est faux ! répliqua-t-elle vivement.

Trop vivement, se dit Quinn tout en continuant de la scruter du regard.

— Dites-moi ce que vous cherchez à cacher, et je vous aiderai à inventer une histoire à l'intention de la police. Mais vous feriez mieux de vous dépêcher, parce que je crois qu'ils arrivent.

Elle l'avait entendu, elle aussi — un coup péremptoire frappé à la porte d'entrée du rez-de-chaussée, puis la voix aiguë de la propriétaire. Elle inclina la tête en signe de défaite.

— Je vous ai dit la vérité tout à l'heure dans le pub. Je ne me rappelle absolument rien — rien de concret en tout cas.

Comme elle relevait la tête, Jane rencontra le regard incrédule de Quinn.

— Vous ne me croyez pas, dit-elle d'un ton désespéré.

— Bien sûr que je ne vous crois pas. En les empêchant de rechercher votre identité, vous empêchez la police de découvrir celle de votre agresseur. Mais vous ne m'avez toujours pas donné une seule raison valable pour justifier cette attitude.

Quinn s'interrompit. Il paraissait tendu.

— Ils sont dans l'escalier. C'est la police, ma belle. Vous pouvez continuer à mentir — à votre guise. Mais sachez que si vous me dites la vérité, quelle qu'elle soit, je vous aiderai jusqu'au bout.

Il avait baissé le ton, mais il avait mis une profonde conviction dans sa voix. Les larmes aux yeux, Jane riva son regard dans le sien.

— Pourquoi ? demanda-t-elle. Pourquoi feriez-vous cela pour moi ?

— Parce que j'ai promis de vous protéger, et quoi qu'il arrive, je le ferai.

Tendant la main, il frôla du doigt une mèche de ses cheveux. Puis, de nouveau, il se durcit.

— Parce que c'est le devoir d'un garde du corps. Si nécessaire, ce devoir peut m'entraîner à mourir pour vous. Mais en échange, vous devez être honnête avec moi. Dites-moi ce que vous vous efforcez de dissimuler, Jane.

Des bruits de pas résonnèrent sur le palier du troisième étage avant de s'appesantir le long du petit corridor qui menait à leur porte. Son regard alla de la porte à l'homme impassible qui se tenait en face d'elle.

Il venait de dire qu'il était prêt à mourir pour elle. Même si elle ne se souvenait pas de sa vie passée, Jane savait que personne ne lui avait jamais fait une telle promesse. Et tout ce qu'il demandait en retour, c'était sa confiance. Elle prit une profonde inspiration.

— Cela concerne la deuxième partie du message, Quinn.

Le visage crispé par l'émotion, elle secoua la tête.

— Je crois… Je crois que j'ai tué quelqu'un.

— Nous restons en contact, conclut l'inspecteur Jennifer Tarranova.

La jeune femme à la peau mate assise sur le canapé avait un regard noir, perçant, et à l'évidence, elle était enceinte. Son coéquipier avait à peu près la stature de Quinn, et comme lui, il était resté debout au milieu de la chambre durant tout l'interrogatoire.

— Vous pouvez m'expliquer pourquoi vous n'avez pas attendu la police au pub de la Trinité ? gronda celui-ci. Si nous ne vous avions pas trouvés ici, il nous aurait fallu vous chercher dans toute la ville. Où habitez-vous en ce moment, McGuire ?

— En ce moment, et pour quelque temps encore, ici. Et je sais que vous êtes en relation avec Terry Sullivan, alors n'essayez pas de me faire croire que vous ne savez pas où me trouver, ajouta Quinn avec un mince sourire.

— Vous vous connaissez ? demanda l'inspecteur Tarranova, en haussant les sourcils d'un air étonné.

Elle dévisagea son partenaire.

— Donny, vous ne m'aviez pas dit que vous connaissiez M. McGuire.

— Nous étions un peu comme des frères dans le passé, répondit le policier en haussant ses larges épaules.

Une ombre passa dans son regard.

— Mais c'était il y a des lustres, comme on dit, ajouta-t-il.

— Sœur Bertille est morte, Fitzgerald.

Quinn avait prononcé ces mots d'une voix abrupte, comme s'il avait hésité un moment avant de les dire. Tout à coup, son ton se radoucit.

— Je pensais que vous aimeriez le savoir. Vous l'avez bien connue, vous aussi, *il y a des lustres,* non ?

— Sœur Bertille ?

Pour la première fois depuis qu'il était entré, l'agressivité manifestée par le policier s'apaisa et son visage s'assombrit.

— Je suis désolé de l'apprendre. Je brûlerai un cierge pour elle.

— Faites-le, oui. Pour ma part, j'ai vidé mon verre à sa mémoire, répliqua Quinn d'un ton brusque. En attendant, tenez-moi au courant de l'analyse concernant le sang trouvé sur le miroir.

— Vous êtes sûrs que…

Jane s'interrompit et avala sa salive. Puis, s'adressant à la jeune femme assise à son côté sur le canapé, elle tenta une deuxième intervention.

— Vous êtes sûrs que ce n'est pas du sang… du sang humain ?

De nouveau, sa voix trembla. Elle fixa l'inspecteur Tarranova d'un air angoissé.

— Ce n'est pas du sang humain, mademoiselle Smith, répondit celle-ci. Nous devons encore l'analyser. Mais étant donné qu'il est mélangé à de l'eau, je dirais qu'il provient d'une pièce de viande décongelée. Vous pouvez donc être rassurée à ce sujet.

Visiblement soucieuse d'égayer l'humeur de Jane, la jeune femme lui adressa un large sourire. Puis, comme si elle venait de comprendre que c'était là une tâche impossible, elle haussa les épaules d'un air las.

— Pas d'empreintes, pas de témoins, pas d'ennemis connus. Je suis au regret de dire qu'on a peu de chances de retrouver ce type. En tout cas, vous avez bien fait de demander à votre ami de rester avec vous pendant quelques jours. Son allure suffira peut-être à faire fuir ce dingue.

Jane parvint alors à rassembler les prémices d'un sourire.

— Je l'espère. Mais s'il recommence ?

— La prochaine fois, vous nous appelez tout de suite. Je veux dire, tout de suite, répliqua Fitzgerald en braquant son regard sur Quinn. Compris ?

— Je n'ai jamais servi sous vos ordres, Fitz. Alors arrêtez votre numéro de sergent-major, déclara Quinn d'une voix posée. Il fallait qu'on parte. Je n'allais pas attendre que vous interrogiez mademoiselle devant une horde de curieux imbibés d'alcool, à l'endroit même où elle avait été agressée.

— Un à zéro, répliqua son interlocuteur à contrecœur. Mais moi, j'ai servi sous vos ordres, et même si c'était il y a longtemps, il me semble me souvenir que vous aviez pour fâcheuse habitude de prendre des risques inconsidérés…

— Je n'ai jamais risqué la vie d'aucun de mes gars, jamais, mon pote ! répliqua Quinn d'un ton sec.

— C'est vrai, vous n'avez jamais mis nos vies en danger, admit Fitzgerald. C'est la vôtre que vous jouiez chaque fois à la roulette. Enfin, ce que je veux dire, c'est : laissez-nous nous occuper de cette affaire. Votre vieux camarade Sullivan a la sale manie de se mettre en travers de notre chemin. Et je tiens à éviter que vous preniez exemple sur lui.

— Nous étions tous très jeunes et un peu fous à l'époque, Fitz. Mais à présent, je promets de suivre la procédure, si cela peut vous faire plaisir.

— Je ne sais pas pourquoi, mais je n'arrive pas à vous croire, Quinn, répondit le policier avec un soupir dubitatif. Je vous ai déjà vu rompre vos promesses auparavant — comme la fois où vous êtes revenu nous chercher, le Suédois et moi, après avoir éliminé le sniper, dans ce village bombardé. On avait pourtant conclu à l'avance que si l'un de nous s'en sortait, il ne retournerait pas chercher les autres.

— Les cours d'histoire n'ont jamais été mon fort, dit Quinn en détournant le regard.

Fitzgerald hocha la tête.

— Je n'arrive même pas à me rappeler son nom.

— Il s'appelait Swenson. Karl Swenson, prononça Quinn à voix basse. Nous nous étions relayés pour le ramener au camp. Mais il est mort en route.

— Je savais que vous vous en souviendriez.

Fitzgerald le fixait à présent avec intensité.

— Et leurs visages ? Vous vous souvenez aussi de chacun de leurs visages, n'est-ce pas, Quinn ? Vous devriez accepter l'offre d'emploi de Sullivan avant qu'il ne soit trop tard.

— En ce qui me concerne, cela fait longtemps qu'il est trop tard, répondit Quinn en s'écartant du petit comptoir sur lequel il était appuyé.

Tout à coup, il sourit et se tourna vers Jennifer Tarranova qui n'avait cessé de les observer avec une curiosité manifeste.

— Vous voyez, inspecteur : prenez deux Irlandais, mettez-les dans la même pièce et en l'espace de dix minutes, les voilà en train de discuter de mort et de destinée…

— Quand cela ne se termine pas par une bagarre ! renchérit Fitzgerald d'un ton sec.

— Exact, confirma Quinn avec un sourire complice à l'adresse du policier.

Puis il reprit son sérieux.

— Tenez-moi au courant des suites de l'enquête, d'accord ? Ne serait-ce qu'en souvenir du bon vieux temps.

— Si nous trouvons quelque chose, je vous le ferai savoir, répondit Fitzgerald en lançant un coup d'œil à sa partenaire. Je ne devrais pas. Mais je le ferai quand même.

— Je vous remercie, vieux, conclut brièvement Quinn. Et s'il se produit quoi que ce soit, je vous appelle tout de suite.

— Nous comptons sur vous, McGuire. Ainsi que sur vous, mademoiselle Smith.

Une main appliquée sur ses reins, Jennifer Tarranova se releva avec difficulté.

— Vous vous chargez d'établir le procès-verbal au commissariat, Donny. Moi, il faut que je rentre me reposer.

— Vous allez nous jouer la comédie de la femme enceinte jusqu'au bout, n'est-ce pas ? grogna Fitzgerald d'un ton aigre.

Cependant, Jane remarqua son geste charitable pour retenir sa partenaire tandis que celle-ci cherchait son équilibre.

— Vous pouvez me faire confiance, mon ange, répliqua l'inspecteur, l'œil rieur.

Mais avant de sortir, l'air perplexe, Jennifer Tarranova se tourna vers elle.

— Vous savez, je suis persuadée qu'on s'est déjà rencontrées, dit-elle. Je n'arrive pas à me rappeler dans quelles circonstances, mais... attendez...

Les sourcils froncés, la jeune femme s'interrompit. Puis, lentement, l'air absorbé, elle poursuivit.

— Oui. C'est bien cela... J'ai l'impression d'avoir vu votre visage sur un récent avis de recherche... Il concernait une femme jugée extrêmement dangereuse.

5.

Jane n'avait pas fermé l'œil de la nuit. Observant le ciel par le vasistas incrusté dans le mur à côté de son lit, elle constata avec soulagement que celui-ci commençait à s'éclaircir. Sans bouger, elle jeta un regard prudent en direction de la silhouette assise dans le fauteuil, à l'autre bout de la pièce.

La veille au soir, à deux reprises, c'était à Quinn et à sa seule présence d'esprit qu'elle avait dû son salut. La première fois, c'était quand il lui avait sauvé la vie, bien sûr. La deuxième, c'était après que l'inspecteur Tarranova eut lancé cette véritable bombe à retardement :

« J'ai l'impression d'avoir vu votre visage sur un récent avis de recherche… Il concernait une femme jugée extrêmement dangereuse. »

Le ton taquin et le sourire malicieux de la jeune femme avaient complètement échappé à Jane. Quinn lui avait alors lancé un regard inquiet et, voyant son expression paniquée, s'était empressé d'intervenir, déployant tout le charme dont il affirmait être pourvu.

— Et moi ? avait-il protesté d'un ton enjôleur, en concentrant toute son énergie sur l'inspecteur.

En d'autres circonstances, Jane aurait pensé qu'il tentait de séduire la jeune femme — mais en réalité, c'était exactement ce qu'il était en train de faire, avait-elle aussitôt rectifié en son for intérieur.

— Si Jane s'avère être Bonnie, avait-il ajouté, alors, moi, je suis Clyde. Je rêverais d'être recherché par vous, madame l'inspecteur.

Jennifer Tarranova l'avait fixé un instant d'un air stupéfait. Jane ne pouvait l'en blâmer. Jamais encore elle n'avait entendu Quinn roucouler de la sorte. A présent, elle savait que sa voix pouvait être une arme encore plus redoutable que les sourires qu'il distribuait avec parcimonie. Lorsqu'elle avait fini par lui répondre, celle de Tarranova avait pris à son tour des accents langoureux.

— Oh, je ne m'inquiète pas pour vous, avait-elle répliqué, un sourire mutin aux lèvres et les yeux rivés aux siens. Je suis sûre que vous êtes très recherché, McGuire. Et si je n'étais moi-même une épouse comblée et bientôt mère de famille, sans doute m'empresserais-je de me lancer personnellement à votre recherche. Pardonnez-moi, avait-elle ajouté, en se tournant vers Jane. C'est la déformation professionnelle. L'autre jour, j'ai dit à ma mère qu'elle était le portrait craché d'une femme accusée d'une série de hold-up juteux. Je lui ai promis de ne pas l'arrêter si elle m'offrait une Porsche pour Noël.

Ayant repris le contrôle d'elle-même, Jane avait réussi à sourire de la plaisanterie de l'inspecteur et quelques instants plus tard, les deux policiers avaient pris congé. Après avoir refermé et verrouillé la porte derrière eux, Quinn s'était tourné vers elle.

— On a eu chaud ! avait-il dit avec une gentillesse bourrue. Bon. Nous avons beaucoup de choses à nous dire, vous et moi. Mais pour l'instant, vous avez surtout besoin de repos. Cette discussion attendra quelques heures…

En effet, de nombreuses heures avaient passé ensuite. Durant la nuit, tandis qu'elle feignait de dormir, Quinn, lui, n'avait pas fermé l'œil une seule seconde. Mais depuis un certain temps, son souffle régulier semblait indiquer qu'il avait fini par s'assoupir. Si elle ne réagissait pas tout de suite, il serait trop tard.

Sans un bruit, Jane se glissa hors du lit. Dans l'attente de cet instant, elle avait gardé son pantalon de survêtement et ses baskets sur elle. Tout en jetant un regard inquiet en direction de Quinn, elle se leva.

Elle parvint à distinguer ses traits dans la pénombre. Il avait les yeux fermés et sa bouche au repos avait perdu de sa dureté, comme si seul l'état d'inconscience pouvait lui faire déposer les armes. Il avait l'air si serein que Jane eut l'impression que son âme avait quitté la pièce ; qu'au cours de la nuit, elle s'était envolée en silence pour ne plus jamais revenir.

Quelle idée absurde, se dit-elle en repoussant aussitôt ce sentiment aux étranges accents prémonitoires. Ce n'était pas le moment de se laisser aller à ce genre de divagations. Retenant sa respiration, sur la pointe des pieds, elle contourna le fauteuil dans lequel était assis Quinn. Un souffle imperceptible soulevait sa poitrine. Serait-il éveillé ? Comme il ne bougeait pas, reprenant confiance, elle tendit la main vers son sac posé sur le petit comptoir. Là, tout à coup, elle hésita.

Avant de s'installer pour la nuit, Quinn avait vidé le contenu de ses poches juste à côté de son sac. Jane y vit un trousseau de clés, un peu de monnaie et une grosse liasse de billets retenus par un trombone. Pour seule fortune, elle possédait elle-même quarante dollars, peut-être moins.

Quoi qu'elle ait pu faire par le passé, elle n'avait jamais été une voleuse, se dit Jane en frissonnant. La seule idée de s'emparer d'une partie de l'argent de Quinn lui répugnait totalement. Mais avec cinquante dollars de plus, elle pourrait s'enfuir assez loin pour que personne ne la retrouve. Avançant une main tremblante en direction de la liasse, elle jeta un nouveau coup d'œil en direction de Quinn.

Il dormait toujours. Jane détacha en hâte quelques billets de la liasse et les enfouit au fond de sa poche. Il comprendrait, se dit-elle, luttant contre son propre dégoût. Il *fallait* qu'il comprenne et dès qu'elle aurait atterri quelque part et trouvé du travail, elle enverrait sa première paye à *Sullivan Investigations*, avec une note leur demandant de transmettre cette somme à Quinn. Elle ne voulait pas qu'il conservât d'elle l'image d'une voleuse. Rejoignant la porte en quelques enjambées, Jane posa une main sur le premier verrou.

— Je peux accepter le fait de fréquenter une meurtrière. Mais quand, après avoir passé la nuit auprès d'une femme, je la trouve au matin en train de me faire les poches, je suis obligé de me demander si je n'ai pas manqué d'une certaine perspicacité à son égard !

Interdite, Jane pivota brusquement sur elle-même. Son sac glissa le long de son épaule et atterrit au sol avec un bruit mat. Immobile, Quinn la fixait d'un œil accusateur.

— C'est un peu tard pour déménager à la cloche de bois, affirma-t-il en jetant un coup d'œil au vasistas où pointaient les premières lueurs de l'aube.

Son ton était sardonique et l'explication confuse que Jane s'apprêtait à fournir se mua tout à coup en une réplique agressive.

— Je vous aurais remboursé, gronda-t-elle tout en s'acharnant d'une main maladroite sur le verrou du haut. Il faut que je parte. Et même si je dois m'en aller sans un sou, je le ferai quand même, Quinn. C'est la seule solution.

Le premier verrou céda et Jane reporta aussitôt son attention sur l'autre.

— Vous ne comprenez pas ? Quand Tarranova a fait cette allusion à cet avis de recherche concernant une femme jugée dangereuse, je me suis sentie traquée. Je m'attendais qu'elle me passe les menottes et commence à me lire mes droits. J'ai eu le sentiment que j'étais perdue.

— Je vous ai dit que je vous protégerais, déclara Quinn d'une voix blanche. Je ne les aurais pas laissés vous emmener.

Le deuxième verrou s'ouvrit. Jane fit alors glisser la chaîne de sécurité et posa une main sur la poignée de la porte. Avec raideur, elle se retourna vers Quinn.

— Si je mérite de me retrouver derrière des barreaux, et j'ai bien peur que ce soit le cas, même vous, McGuire, ne pourrez rien faire pour moi. Ce n'est pas de votre ressort. Et s'il y a vraiment de bonnes raisons de m'enfermer, j'aime autant ne jamais les connaître.

Puis, se détournant, elle entrouvrit la porte. Venant soudain se plaquer sur la sienne, la main de Quinn la referma aussitôt.

— Arrêtez ce genre de trucs ! s'écria-t-elle d'une voix angoissée en continuant de s'acharner sur la poignée. Chaque fois que je crois que vous êtes quelque part, à l'autre bout de la pièce, par exemple, je me retourne, et vous êtes là, à un pas de moi. Vous ne pouvez pas me laisser tranquille, à la fin ?

— Non. Et vous voulez savoir pourquoi ? Parce que je suis persuadé que vous n'avez rien fait d'aussi grave qu'il vous faille refuser de vous en souvenir, répliqua Quinn en resserrant l'étreinte de sa main sur la sienne. Alors, il vaut mieux vous habituer tout de suite à me trouver en face de vous quand vous vous retournez, mon ange.

— Je ne suis pas votre ange, ni votre chérie, ni votre belle ! hurla Jane, à bout de nerfs.

Des larmes dégoulinaient sur ses joues, mais ses yeux lançaient des flammes. Elle approcha son visage à quelques millimètres de celui de Quinn.

— J'ai un nom, McGuire, ajouta-t-elle.

— Vous ne me l'avez pas indiqué, répliqua-t-il d'un ton glacé, lui-même à bout de patience.

— Vous savez très bien que je ne veux pas m'en souvenir. Combien de fois devrai-je vous répéter…

— C'est exact. Vous ne *voulez* pas vous en souvenir.

Avant même que Quinn ne l'ait soulignée, Jane s'était aperçue de l'erreur qu'elle venait de commettre.

— C'est un simple lapsus, McGuire…, commença-t-elle.

Mais il ne la laissa pas finir sa phrase.

— Un lapsus tout à fait révélateur, ma chère, rétorqua-t-il, implacable. Vous pourriez vous en souvenir, mais vous vous y refusez. Hier soir, vous avez affirmé qu'une part de moi cherchait à mourir.

Il haussa les épaules et la fixa d'un air menaçant.

— Mais c'est vous qui avez cherché la mort. Et vous l'avez trouvée.

Ses paroles avaient un caractère irrévocable qui la fit frissonner. Elle se sentit pâlir.

— Que voulez-vous dire ? Je ne suis pas morte. Au contraire, je m'efforce de rester en vie.

— C'est faux. Vous êtes en train de vous enterrer vivante. Avant, vous avez eu une vie, mais il s'est passé quelque chose dans cette vie — quelque chose qui vous incite à détruire la femme que vous étiez.

— Vous ne me connaissez même pas, prononça Jane en soupirant. Comment pouvez-vous être sûr que je n'ai rien fait de mal ? Comment expliquez-vous la culpabilité que je ressens chaque fois que je lis la deuxième partie de cet horrible message, Quinn ?

Sans même s'en rendre compte, elle avait agrippé à deux mains le T-shirt de Quinn. Il baissa les yeux et sembla alors prendre une décision. Détachant doucement les doigts crispés sur le coton encore humide, il enfouit ses deux mains dans la sienne et, doucement, l'attira contre lui. Elle sentit ses muscles se raidir et il lui fallut faire un effort sur elle-même pour ne pas s'écarter violemment de lui.

— Je vous connais mieux que vous ne le pensez, dit-il.

Elle sentait la chaleur de son souffle contre ses cheveux. Elle sentait aussi une extrême fragilité à l'intérieur de son être, comme si un seul geste malheureux de la part de Quinn avait eu soudain le pouvoir de la briser. Retenant son souffle, elle attendit.

— Peu après vous avoir rencontrée, et même si j'ai d'abord refusé de l'admettre, j'ai su quel genre de femme vous étiez. Je m'étais comporté comme un véritable mufle, mais vous, au lieu de me planter là, vous vous êtes excusée de faire remonter de vieux souvenirs à la surface.

La main de Quinn n'était plus sur son épaule à présent. Jane crut la sentir, légère, dans ses cheveux.

— A ce moment-là, votre vrai caractère s'est dévoilé. Vous êtes incapable de faire du mal à une mouche, même si elle le mérite. Vous n'avez vraiment pas le profil d'un meurtrier sanguinaire, Jane.

Il hésita.

— Pourquoi ne pas me raconter ce dont vous croyez vous souvenir ?

Elle eut un mouvement de recul.

— Je n'ai pas envie d'en parler, lança-t-elle de manière instinctive. Je ne veux même pas y penser.

— Mais vous ne cessez d'y penser ! La pensée est là, en permanence.

Ses yeux cherchaient les siens et quand leurs regards se rencontrèrent, elle éprouva un choc. Une douleur profonde vibrait dans l'acier assombri de ses yeux.

— Vous en rêvez la nuit, dit-il encore. Et le jour, dans votre tête, inlassablement, vous revivez cette scène. Ce souvenir vous hante, Jane.

Il y avait une réelle intensité dans sa voix ! Lentement, elle hocha la tête.

— C'est vrai. C'est comme si je vivais en plein cauchemar. Mais comment le savez-vous ?

Quinn pressa ses paupières l'une contre l'autre. Quand il rouvrit les yeux, la lueur étrange qu'elle y avait vue avait disparu. Son regard était redevenu indéchiffrable.

— Cela n'a aucune importance. Ce qui importe, c'est d'ôter le voile qui entoure le cauchemar, de l'exposer au grand jour. C'est un peu comme quand on rampe dans la jungle, la nuit : parfois, les bruits qui nous effraient s'avèrent provenir des créatures les plus inoffensives.

— Mais parfois, ce sont les feulements d'un tigre, renchérit Jane.

Un certain défi tremblait dans sa voix.

— Dans ce cas-là, on fait quoi ? demanda-t-elle.

— Dans ce cas-là, au moins, vous pouvez vous relever et affronter l'ennemi en face, rétorqua Quinn avec une ironie désabusée. C'est peut-être dur, mais cela vaut mieux que de se faire attaquer par-derrière quand on ne s'y attend pas, mon ange.

Cette fois, elle ne se formalisa pas de l'expression familière qu'il avait employée. Et le fait d'être si près de lui n'était pas non plus aussi effrayant qu'elle l'avait imaginé, se dit soudain Jane. En fait, si elle devait affronter un fauve, elle préférait le faire avec le bras de Quinn autour de ses épaules.

Fermant les yeux un instant, elle prit une profonde inspiration et s'imprégna de l'odeur rassurante de sa peau avant de se concentrer sur l'unique brèche creusée dans la forteresse de sa mémoire.

— Je vois un homme. Je n'arrive pas discerner ses traits, mais il est grand, prononça-t-elle d'une voix presque inaudible, la bouche appliquée contre le torse de Quinn. Il est très grand — et il est furieux, Quinn. Je ne sais pas pourquoi. Je ne crois pas être la cause de sa colère mais je sais que, d'un instant à l'autre, celle-ci pourrait se retourner contre moi. Et je suis... je suis terrifiée.

Sentant son cœur s'accélérer dans sa poitrine, elle avala sa salive. Cette fois, il n'y avait aucun doute, Quinn était en train de lui caresser les cheveux.

— Et ensuite, Jane, que se passe-t-il ?

Elle se força à continuer.

— Nous sommes dans une chambre... Je ne distingue pas très bien le décor, mais il y a une petite lampe allumée près du sol. Il y a aussi une troisième personne dans la pièce. C'est elle que l'homme cherche. Il hurle en me demandant où elle est. Moi, je pleure, et je réponds que je n'en sais rien. Mais je mens.

— Vous savez où est la personne qu'il cherche ? Vous la protégez, donc ?

La main de Quinn s'immobilisa un instant avant de reprendre sa caresse apaisante.

— C'est quelqu'un qui compte beaucoup pour moi, je crois. Non... j'en suis sûre. Je l'aime. Il est tout pour moi. Et il m'aime aussi, alors je ne peux pas le trahir. Il se cache sous le lit. Mais l'homme qui se dresse devant moi est de plus en plus furieux.

Comme un film d'horreur passant au ralenti sur la toile de fond de son esprit, les yeux fermés, elle revivait chaque instant de la scène.

— Je vois la boucle de ceinture de l'homme, poursuivit-elle d'un ton plus hésitant. Elle a la forme d'un camion, un gros camion, un dix-huit roues. Il pose ses mains sur la boucle et commence à défaire la ceinture. Et je sais qu'il va me frapper avec. Il sent une drôle d'odeur, il a les yeux brillants, sa figure est rouge de colère et je vois la ceinture glisser hors des passants de son jean comme un serpent, et je sais... je sais... qu'il va l'utiliser contre moi.

Sa voix était devenue plus fluette. C'était bien la sienne, Jane la reconnaissait, mais elle n'avait pas le même timbre que d'habitude. Déroutée, elle pressa ses paupières l'une contre l'autre, serra les poings et enfonça ses ongles dans ses paumes. Quand Quinn enroula ses mains autour de ses deux poings fermés, ce contact, la ramenant à la réalité, la rassura un peu, mais les images d'horreur continuaient de défiler dans sa tête. Elle leva vers lui un regard aveugle.

— Oh, Quinn, dit-elle d'une voix étouffée, je crois que c'est un tigre…

— Oui. Je crois que c'en est un, ma belle, dit-il, la voix un peu rauque. Mais nous allons l'affronter ensemble.

Un soupir étranglé franchit ses lèvres et elle baissa les paupières, comme pour se concentrer.

— Si je ne parle pas, il va me frapper avec cette ceinture. Alors je parle.

Le visage enfoui dans la poitrine de Quinn, elle secoua violemment la tête.

— Je lui dis où se cache mon ami. Alors, soudain, il arrête de hurler. Il sourit. Il plie la ceinture en deux dans sa main et puis il la fait claquer dans l'air… c'est comme un coup de revolver. J'entends du bruit sous le lit : c'est mon ami qui essaie de s'enfuir, mais l'homme est plus rapide. Il se penche en avant, l'attrape par la cheville et le tire hors de sa cachette. Je sais que je ne peux pas l'en empêcher… jamais encore je n'ai réussi à l'en empêcher… mais cette fois, cela va être horrible, et cette fois, c'est ma faute. Je regarde autour de moi mais je ne vois presque rien parce que j'ai des larmes plein les yeux. J'ai peur. Il n'y a pas de temps à perdre. Alors, j'aperçois la batte de base-ball dans un coin de la chambre, mais mes jambes tremblent si fort que je ne peux pas bouger.

Le rythme saccadé de son récit s'était accéléré, les mots se superposant les uns aux autres. Quinn ne caressait plus ses cheveux à présent. Comme pour la soutenir, il avait posé une main protectrice à l'arrière de sa tête.

— Il tire mon ami par les pieds. Celui-ci porte un bas de pyjama que l'homme baisse jusqu'à ses genoux. Mais il ne porte pas de haut et j'aperçois son dos. Les marques de la dernière séance n'ont pas encore eu le temps de cicatriser et je sais qu'il ne va pas pouvoir en supporter une autre. J'ai la batte de base-ball dans la main — je ne sais même pas comment elle est arrivée là — mais je la lève aussi haut que je peux. Elle est si lourde, Quinn. J'arrive à peine à la porter. Et puis, je la laisse retomber sur le dos de l'homme et cela fait un bruit terrible, comme celui des pastèques que ma mère frappe, au supermarché, pour voir si elles sont mûres. Alors, il lève la tête et me regarde et là, j'ai encore plus peur et je lève la batte une autre fois, et une autre fois, je la laisse retomber. Mais cette fois, elle a frappé son visage. Du sang coule de son nez et il tombe par terre. Je sais que je l'ai tué, et quelqu'un se met à crier…

Son flux verbal s'interrompit brutalement.

— Et c'est tout ce que vous vous rappelez ? demanda doucement Quinn après un moment.

— C'est tout. Les images s'arrêtent là.

La voix fluette, aux accents aigus, avait disparu. Jane s'exprimait à présent d'une voix blanche.

— Cela suffit, non ? Pas une fois, mais à deux reprises, j'ai frappé de toutes mes forces un homme avec une batte de base-ball. J'ai dû le tuer, Quinn. Qui que soit cet homme, je l'ai tué.

— A quoi ressemblait la petite lampe qui se trouvait par terre ?

La question de Quinn était précise, soudaine. Sans réfléchir, Jane répondit.

— Elle avait la forme d'un petit ours… oh !

Elle leva les yeux vers lui, une lueur de vie était revenue dans son regard.

— Je ne m'en étais pas souvenue jusque-là. Mais qu'est-ce que cela change ? J'ai tout de même…

— Et le pyjama de votre ami… de quelle couleur était-il ?

Une fois de plus, il avait assené sa question avec une vivacité qui ne laissa pas à Jane le temps de réfléchir.

— Bleu. Bleu avec du rouge…, répondit-elle aussitôt.

Elle se figea.

— Bleu avec des petits trains rouges, ajouta-t-elle lentement. Mais je dois me tromper. Ce genre de motifs se trouvent plutôt sur des pyjamas d'…

— Et cette boucle de ceinture, l'interrompit Quinn, comment se fait-il que vous puissiez la décrire avec une telle précision ? Dans votre esprit, c'est l'image la plus claire de toutes, n'est-ce pas ? Pourquoi ?

— Parce qu'elle est juste devant moi. Elle est à quelques centimètres du niveau de mes…

Jane hésita.

—… juste à quelques centimètres au-dessus du niveau de mes yeux, murmura-t-elle. L'homme est un *adulte* et moi, je suis…

— Vous êtes une petite fille, dit Quinn en s'écartant un peu d'elle.

La saisissant par les bras, il les serra entre ses mains puissantes.

— C'est un souvenir d'enfance. Sans doute le plus effrayant de toute votre enfance, mais une petite fille à peine capable de soulever une batte de base-ball ne peut pas tuer un homme. Il devait être soûl et sans doute avez-vous réussi à l'assommer, mais vous n'avez pas pu le tuer. Vous l'avez simplement empêché d'abuser d'un autre enfant.

Il riva son regard dans le sien.

— Le tigre, c'était vous. Vous en avez eu la bravoure.

— Je ne suis pas une meurtrière… alors…

Un petit rire monta dans sa gorge.

— Je ne suis pas une meurtrière. Je n'ai tué personne, Quinn !

Elle sentit la tension accumulée dans ses muscles se relâcher. Les yeux embués de larmes, elle lui adressa un sourire radieux.

— Vous ne pouvez pas imaginer ce que j'ai enduré à l'idée que j'étais responsable de la mort de quelqu'un.

Quinn lui rendit son sourire, mais son regard était sombre et il ne répondit pas. Sans y prêter attention, Jane reprit aussitôt son discours.

— Si c'était ce souvenir qui bloquait ma mémoire, je devrais pouvoir la recouvrer entièrement, à présent, non ? Ensuite, je saurai pourquoi…

S'interrompant, elle fronça les sourcils et son sourire s'estompa.

— Le petit garçon avec le dos couvert de cicatrices — ce devait être mon frère. Et l'homme en colère serait donc mon père. Pas étonnant que j'aie refusé de me rappeler mon enfance.

— C'est pourtant elle qui vous a faite telle que vous êtes aujourd'hui, dit Quinn. Qu'elle ait été dure ou confortable, elle fait partie de vous. Et quelque part, vous avez un frère qui vous aime, Jane.

— Quelque part, il y a aussi quelqu'un qui pense avoir de bonnes raisons de me haïr.

Prenant soudain conscience du contact des mains de Quinn sur ses bras, Jane eut un brusque mouvement de recul. Sans le regarder, elle ramassa son sac et se dirigea vers le petit comptoir. Avec un sourire confus, elle en sortit alors une poignée de billets et les replaça avec les autres.

— J'avais vraiment l'intention de vous rembourser, Quinn. Je pensais que la seule solution était de fuir, dit-elle d'une voix grave. Mais à présent, je ne sais plus quoi faire. Qui est mon agresseur ? Qu'ai-je fait pour qu'il m'en veuille à ce point ? Et comment a-t-il réussi à me retrouver après mon accident, alors que je n'arrive pas moi-même à faire la liaison entre mon ancienne vie et celle qui est aujourd'hui la mienne ?

— Je crois que nous allons devoir demander de l'aide à Terry Sullivan.

Jane fronça les sourcils.

— De l'aide ? Quel genre d'aide ?

— Moi, je suis un soldat sans armée, Jane. Mais Terry, lui, a tout le pouvoir de Sullivan Investigations derrière lui et une liste de contacts longue comme le bras — certains même parmi la police. Je veux mettre la main sur la liste, celle que vous ne vouliez pas que Tarranova et Fitz consultent.

— Quelle liste ?

— Celle des femmes récemment disparues, précisa-t-il en levant les yeux vers elle. D'abord, nous allons essayer de découvrir qui vous êtes. Puis nous chercherons à savoir ce qui a pu se passer durant les dernières semaines qui ont précédé votre accident. A moins que votre mémoire ne revienne entre-temps, ajouta-t-il.

« Un soldat sans armée », songea Jane, préoccupée. La description était appropriée. Mais à présent, McGuire s'apprêtait à s'introduire dans le camp de l'ennemi — avec elle en otage.

— Vous savez vous servir d'une arme ?

La question de Quinn interrompit subitement ses pensées. Elle tourna vers lui un visage stupéfait.

— Une arme ? répéta-t-elle avec un petit rire hésitant. Bien sûr que non. J'en ai une peur bleue.

— Maîtrisez-vous un quelconque sport de combat ?

Mais avant même qu'elle n'ait eu le temps de répondre, Quinn secoua la tête.

— Non, bien sûr, dit-il. Dans ce cas, on a plutôt intérêt à opter pour une arme. L'apprentissage sera moins long. Cet après-midi, je vais vous emmener dans la salle de tir de Sullivan Investigations. Je vous y enseignerai les bases.

Incapable de prononcer un mot, Jane le fixait d'un air angoissé.

— Mais, c'est votre rôle, pas le mien, protesta-t-elle quand elle eut retrouvé sa voix. Pourquoi devrais-je apprendre à me servir d'un revolver ?

Elle pinça fermement les lèvres.

— Je suis désolée, c'est impossible, ajouta-t-elle. Je ne connais rien aux armes.

— Cette salle est conçue pour former les débutants, rétorqua Quinn. Vous vous y ferez vite, vous verrez.

Il allait ajouter quelque chose. Au lieu de cela, il tourna la tête et sembla se concentrer.

— Il y a quelqu'un dans le couloir, dit-il à voix basse.

— Jane ? Tu es là ? chuchota une voix derrière la porte. Tout va bien ?

— C'est Carla, s'écria Jane avec un soupir de soulagement.

Elle fit un pas en direction de la porte, mais Quinn la retint par le bras.

— La dernière fois, il s'est servi de Martine pour arriver jusqu'à vous, dit-il en passant devant elle pour se diriger vers la porte.

Les muscles bandés, l'un après l'autre, il tourna les verrous, puis la poignée.

— Oh… je ne savais pas que tu avais de la visite.

Derrière le grand corps de Quinn, Jane aperçut sa voisine, rouge de confusion.

— Gary et moi étions inquiets. Hier soir, nous sommes rentrés tard, et ce matin, Mme Quantrill nous a dit que la police était venue chez toi.

Carla était grande et massive. Mais c'était à une musculation puissante et non à un quelconque embonpoint qu'elle devait sa silhouette. Cependant, malgré cette stature imposante, Jane savait qu'elle pouvait se montrer intimidée face à un étranger.

— J'ai suivi tes conseils. Hier après-midi, je me suis rendue dans une agence de détectives, expliqua-t-elle tandis que l'autre femme contournait avec difficulté l'Irlandais laconique toujours planté devant la porte de la chambre. Le directeur de cette agence m'a communiqué les coordonnées de Quinn, ajouta Jane.

Abandonnant sa réserve, Carla adressa un large sourire à Quinn.

— Ouf ! Me voilà soulagée. Carla Kozlikov. Ravie de vous rencontrer, monsieur, dit-elle en lui tendant la main.

— Appelez-moi Quinn. C'est vous qui avez conseillé à Jane d'engager un garde du corps ? demanda-t-il, soudain radouci.

— Oui. Et je suis heureuse qu'elle m'ait écoutée, affirma Carla en hochant la tête. Gary et moi étions très inquiets à son sujet. Hier soir, après qu'il m'a rejointe à la salle de gym, nous avons même failli revenir ici pour voir si tout allait bien. Mais finalement, nous sommes allés dîner. C'était notre anniversaire, vous comprenez — pas un véritable anniversaire de mariage, s'empressa-t-elle d'ajouter en rougissant. Mais c'était une occasion un peu spéciale pour nous.

— Spéciale... Le mot est faible quand il s'agit de célébrer le plus beau jour de ma vie, renchérit Gary en apparaissant dans l'encadrement de la porte.

Il lança un regard affectueux à Carla et sourit à Quinn.

— Gary Crowe. Je suis content que Jane ait trouvé quelqu'un pour veiller sur elle. Ce matin, cette vieille harpie de Quantrill nous a raconté que la police était venue ici.

L'air préoccupé, il fronça les sourcils.

— Il n'y a pas eu un autre de ces affreux messages, j'espère ?

Une certaine colère pointait dans sa voix et Jane lui adressa un regard reconnaissant.

— Si. Encore un, reconnut-elle d'une voix étouffée. Mais il y a eu pire.

Elle leur fit un bref résumé des incidents survenus la veille au soir.

— C'est très préoccupant, dit Gary, l'air soucieux. Je vais me charger de te trouver un système d'alarme. A l'évidence, ce type sait forcer une serrure.

— Quinn est au courant pour ton amnésie ? murmura Carla en aparté tandis que les deux hommes se dirigeaient vers le canapé.

— Oui. Il dit que si je le voulais vraiment, je pourrais recouvrer la mémoire, répondit-elle d'un ton dubitatif.

— Je pense qu'il a raison.

La réponse spontanée de la jeune femme la surprit.

— Depuis le début, je suis persuadée que cette amnésie a une cause psychique, expliqua Carla. Je pensais que tu essayais peut-être d'oublier un mari abusif.

La pointe de curiosité qui perçait dans la voix de Carla la mit mal à l'aise. Elle lui devait beaucoup, pourtant. L'aider à quitter subrepticement l'hôpital n'avait guère posé de problème de conscience à Olga Kozlikov, la tante de Carla. Mais cette dernière, en qualité d'infirmière, avait une position plus délicate.

Ses voisins étaient des gens chaleureux et attentionnés, songea Jane. Mais le fait qu'ils en sachent autant sur son compte qu'elle-même avait pour effet de la déstabiliser.

— Je n'ai pas l'impression d'avoir été mariée, Carla. Toi, en revanche, dit-elle, désireuse de changer de sujet, tu sembles avoir déniché la perle rare. Quel cadeau aurais-je dû vous faire hier : papier, ou argent ? s'enquit-elle d'un ton taquin.

Sa question eut l'effet souhaité. Le visage de Carla s'empourpra une nouvelle fois et elle eut un petit rire gêné.

— Oh ! non. Cela ne fait pas assez longtemps…

— Ne devais-tu pas nous faire des crêpes pour le petit déjeuner ? demanda Gary en s'approchant de Carla, les yeux brillant d'anticipation.

Il enroula son bras autour de celui de la jeune femme qui émit un petit gloussement.

Quelques minutes plus tard, Jane les raccompagnait à la porte. Après l'avoir refermée, elle entendait encore leurs rires fuser dans le couloir.

Elle se tourna vers Quinn.

— Etes-vous un peu rassuré en voyant que j'ai de si bons voisins ?

— Je n'ai pas eu le temps de me faire une opinion le concernant. Mais elle, elle est dangereuse, énonça-t-il d'un ton catégorique. Elle vous déteste. D'ailleurs, ce soir, vous dormez chez moi.

— Qui : Carla ? bredouilla-t-elle. Mais elle est adorable, voyons ! Sans elle, je n'aurais jamais pu obtenir cet appartement et elle et Gary se mettent en quatre pour…

— Ne voyez-vous pas qu'elle est folle de jalousie ? Chaque fois que son ami s'adresse à vous, elle vous observe tous les deux avec haine. J'aimerais savoir où elle était hier soir, au moment où vous avez été agressée.

Il fronça les sourcils.

— Faites votre sac. Je vous emmène loin d'ici, annonça-t-il.

— Avant même que Carla n'ait franchi le seuil de la chambre, vous avez décidé que cette femme vous déplaisait, protesta Jane avec ardeur.

— Oui. Parce qu'elle écoutait aux portes !

Sa voix était grave, intense.

— Elle est assez baraquée pour être l'individu qui vous a agressée au pub. Je ne suis pas en train de dire qu'elle l'a fait.

Mais si vous vous cherchez des ennemis, il suffit de regarder du côté de vos voisins de palier, ma belle.

— J'admets qu'elle est plus forte que beaucoup d'hommes. Plus forte que Gary, par exemple…, commença-t-elle.

Décidément, Quinn était d'humeur belliqueuse.

— Et bien, là, encore une fois, vous vous trompez. Ce type n'est peut-être pas très baraqué, mais il a des muscles d'acier. Cependant, il ne vous jetait pas un œil noir chaque fois que vous aviez le dos tourné. Je crois que lui, on peut l'oublier.

— Moi, je suggère que nous oubliions l'intégralité de cette conversation stupide, rétorqua Jane. Toutefois, je tiens à vous rappeler une chose : Martine a affirmé que la personne qui l'a agressée était un homme.

— J'avais oublié ce détail. Mais elle a aussi dit que son agresseur s'était exprimé à voix basse. Dans le noir, et la panique aidant, je doute qu'elle ait pu faire la différence.

Il jeta un coup d'œil à sa montre.

— Si vous voulez prendre une douche, vous avez cinq minutes. Après quoi, que cela vous plaise ou non, je vous emmène à la salle de tir. Nous avons un emploi du temps chargé aujourd'hui. Vous avez quelque chose d'autre à vous mettre sur le dos ?

— Que reprochez-vous à ma tenue ?

— Ce survêtement est trop large. Un jean et un T-shirt seraient plus appropriés pour l'entraînement, dit Quinn d'une voix sèche. Si vous n'en possédez pas, nous vous en achèterons en ville. J'ai besoin de pouvoir observer votre posture, et dans ce sac à pommes de terre, c'est impossible.

— Je ne comprends toujours pas pourquoi je devrais apprendre à me servir d'une arme, protesta encore Jane, le regard empli d'appréhension.

— Parce qu'un jour, ce type va vraiment essayer de vous tuer, dit-il avec brutalité, et cette fois, je veux que vous ayez une chance de vous en sortir.

Jane le considéra, bouche bée.

— Mais s'il se passe quoi que ce soit, c'est vous qui êtes censé me défendre. Vous êtes toujours prêt à le faire, n'est-ce pas ?

Il ne répondit pas tout de suite.

— Jusqu'à mon dernier souffle, affirma-t-il enfin d'un ton résolu. Mais si quelque chose m'arrivait, je veux être sûr que vous ayez une chance de vous en sortir seule. C'est pourquoi vous devez apprendre à vous servir d'une arme, Jane.

6.

— Comment s'en tire-t-elle ?

Quinn sortit le chargeur vide du Beretta et reposa l'arme sur l'immense comptoir d'acier qui longeait le stand de tir installé dans les sous-sols de Sullivan Investigations.

Enfin, il tourna la tête. A un pas de lui, un sourire aux lèvres et les mains dans les poches d'un costume noir à la coupe impeccable, Terry Sullivan attendait tranquillement la réponse à sa question.

Malgré sa brillante réussite sociale, Sullivan n'avait pas changé. Il portait des costumes Armani comme on porte un treillis, conduisait sa Jaguar comme on manie une jeep et collectionnait les femmes tel un mercenaire en permission, songea Quinn, un sourire sardonique aux lèvres.

— Elle est aux toilettes, répondit-il. Après avoir jeté un coup d'œil au Beretta, elle est devenue verte et s'est ruée vers la salle d'eau. A propos, merci de m'avoir dirigé sur cette affaire.

— Je t'en prie.

Sullivan se frotta la joue.

— Elle a peur des armes ? demanda-t-il avec une ironie à peine dissimulée.

— Apparemment, oui. Cependant, sans trop savoir pourquoi, j'ai un peu de mal à y croire, répliqua Quinn en fronçant les sourcils. Je t'ai dit qu'elle souffrait d'amnésie ? C'est comme si elle avait perdu non seulement la mémoire, mais aussi sa personnalité tout entière. De temps en temps, cette fille te remet à ta place avec l'autorité d'un sergent-major. Dans ces cas-là, à mon avis, c'est la vraie Jane qui remonte à la surface. Mais parfois, elle semble aussi vulnérable qu'une enfant. A d'autres moments, elle me regarde avec une telle intensité que j'ai l'impression qu'elle voit à travers m…

Gêné, Quinn s'interrompit.

— On se laisse aller aux confidences, McGuire.

Sullivan avait l'air aussi étonné qu'il l'était lui-même.

— Toi, le dernier des durs à cuire, ne me dis pas que tu es tombé pour cette mademoiselle… Jane.

— Son nom d'emprunt est Jane Smith, rétorqua Quinn d'un ton mordant.

Il appuya sur le bouton destiné à faire glisser les cibles et regarda en silence la silhouette à forme humaine se positionner devant lui. Sentant le regard de Sullivan braqué dans son dos, il laissa échapper un soupir agacé.

— Je ne suis qu'un pauvre mercenaire, Sully, dit-il en posant un regard impassible sur son vieux compagnon. Le dernier des durs à cuire, comme tu le dis si bien. L'amour, le mariage, ce n'est pas pour moi. J'en suis conscient.

— Ah oui ! J'avais oublié.

L'expression de Sullivan s'était faite dure et ses yeux bleus étaient aussi glacés que le regard gris pâle qui lui faisait face. Les deux hommes faisaient à peu près la même taille. Au même moment, comme mal à l'aise, ils déplacèrent tous deux le poids de leurs corps d'un pied sur l'autre.

— Ce fichu destin, hein ? ajouta Sullivan d'une voix grave. J'avais oublié ton fatalisme d'Irlandais. Ou peut-être avais-je espéré que tu avais pris un peu de plomb dans la cervelle. Ta mort ne les fera pas revenir — ni Jack, ni Paddy, ni même le gosse, quel que soit son nom.

— Haskins, répliqua Quinn d'une voix neutre. Je sais que je ne peux pas les ramener à la vie.

— Mais tu penses que tu aurais dû partir à leur place. Tu as toujours été persuadé que tu aurais dû mourir à la place de tes hommes. Et tant que tu ne les rejoindras pas, tu ne seras pas en paix.

— Tu ne sais pas de quoi tu parles…

Soudain, Quinn s'interrompit. Sans bouger un seul muscle, il abaissa les yeux jusqu'au poing qui étreignait à présent le devant de sa chemise. Lentement, son regard remonta vers le visage de Sullivan.

— Tu es mon meilleur ami, Sully, dit-il.

Ses bras reposaient toujours tranquillement le long de son corps, mais son immobilité avait maintenant quelque chose de menaçant.

— Ote tes mains de là ! Je ne voudrais pas être obligé de te faire du mal, Terry.

— Tu te souviens d'Aqaba — et de ce petit bouge en dehors de la ville ? On était de la même force, à ce moment-là, toi et moi. Personne ne pouvait jamais nous départager, tu t'en souviens. Pour ma part, je crois avoir conservé ma forme d'alors. On prend les paris, si tu veux, proposa Sullivan sans relâcher son étreinte. Bon sang, Quinn, je n'ai pas envie de lever mon verre à ta mémoire dans les semaines ou les mois qui viennent ! Or j'ai l'affreux pressentiment que c'est exactement ce que je vais devoir faire.

Une ombre passa dans le regard bleu vif.

— Je n'ai pas envie de les entendre voler au-dessus de ma tête et de savoir que tu es parmi eux, mon pote.

— Je ne savais pas que tu croyais à ce genre d'histoires, rétorqua Quinn d'une voix posée.

— La plupart du temps, je n'y crois pas, c'est vrai. Mais quand je vois le chemin que tu prends, je me demande s'il n'y a pas une part de vérité dans ces vieilles légendes. Car toi, tu y crois de tout ton cœur, Quinn — tu as besoin d'y croire. C'est la seule façon pour toi de te libérer de ta culpabilité.

Sullivan baissa les yeux et considéra sa main toujours refermée sur la chemise de Quinn. Lentement, il ouvrit les doigts et lâcha le tissu.

— La belle mademoiselle Jane, dit-il, un sourire énigmatique aux lèvres... Tu couches avec elle ?

— Bon sang, Sully. Surveille ton langage, sinon...

— Non... c'est bien ce qui me semblait, répliqua Sullivan en dirigeant son regard derrière l'épaule de Quinn. Tiens, elle arrive. Tu sais, Quinn, cette dame n'a peut-être jamais tenu un revolver de sa vie, mais j'ai l'impression qu'elle a tout de même réussi à atteindre une cible. A tout à l'heure, dur à cuire...

Sully venait à peine de s'éloigner que Jane était déjà à son côté. Elle était blanche comme un linge.

— Prête ? demanda Quinn d'un ton sec, feignant de ne pas avoir remarqué son extrême pâleur.

Comme toutes ses théories le concernant, la dernière affirmation de Sullivan était entièrement fausse.

— Je... je n'y arriverai jamais.

Moulée dans le T-shirt et le jean neufs qu'il l'avait contrainte à acheter, Jane referma frileusement les bras autour de son buste sans le regarder.

— Je sais pertinemment que je serais incapable d'utiliser une arme en situation réelle. Je paniquerais, ou j'oublierais d'ôter la sécurité, ou...

— La seule façon d'arriver à vous en servir si nécessaire, c'est de pratiquer jusqu'à ce que le geste devienne automatique. Il n'est pas chargé, dit-il en désignant le revolver posé devant eux. Prenez-le dans vos mains.

— Je ne...

— Prenez-le !

Soudain honteux de sa brutalité, Quinn envisagea l'espace d'un instant de tout laisser tomber. Elle avait peut-être raison, songea-t-il avec lassitude. Un revolver à la main, elle serait sans doute paralysée et incapable de se défendre au moment crucial. Mais l'image de Jane pendue à ce tuyau, impuissante, plus morte que vive, s'imposa alors à son esprit. Une victime idéale pour le monstre pervers qui l'avait hissée jusque-là.

Ce soir-là, elle n'aurait eu aucune chance de s'en sortir seule. S'il cédait maintenant, la prochaine fois que Jane se retrouverait sans protection, elle n'en réchapperait pas. Et si, pour lui éviter la mort, il devait jouer les méchants, il n'hésiterait pas à le faire.

— Si vous vous installez dans une autre ville, sous un nouveau nom, vous serez peut-être en sécurité pour le restant de vos jours, même si nous ne parvenons pas à découvrir l'identité de votre agresseur.

Le timbre de sa voix était neutre, impersonnel.

— Mais imaginez que ce type n'abandonne jamais ? Imaginez qu'il voie votre visage par hasard, sur une photo, ou aux informations, ou que vous vous mariiez, et que votre époux vous demande de l'accompagner en voyage d'affaires à Boston ?

Les yeux écarquillés, Jane le fixait d'un air effaré. Les bras toujours resserrés autour de son buste, elle se tenait légèrement voûtée, comme si elle allait vomir. Quinn se força à ignorer la part de lui-même qui aurait voulu l'emmener loin d'ici, la prendre dans ses bras comme il l'avait fait ce matin, lui assurer qu'elle n'avait aucun souci à se faire et qu'il serait toujours là pour la protéger.

Mais ce serait lui mentir. Et il se rendit soudain compte que Sullivan avait vu juste — sans savoir tirer, Jane l'avait touché en plein cœur. Assez en tout cas, pour qu'il eût envie de se montrer honnête envers elle.

— Alors, prenez ce re…

— Non ! s'exclama Jane avec une véhémence surprenante.

Les bras figés le long du corps, les poings serrés, le visage blême, elle braquait sur lui un regard où se mêlaient colère et peur.

— A la seule idée de toucher à ce revolver, j'en suis malade — physiquement malade, Quinn. J'ai peur des armes ! Elles ont le pouvoir de tuer des gens. Leur simple vue me révulse...

— Prenez ce Bon Dieu de revolver !

Du coin de l'œil, Quinn vit Sullivan s'immobiliser à quelques mètres d'eux pour les observer. Jane, pour sa part, ne semblait pas consciente qu'on les observait. Le regard rivé dans le sien, les traits tendus, elle tremblait comme une feuille.

— Tant que je ne le ferai pas, je ne sortirai pas d'ici, n'est-ce pas ? s'enquit-elle d'un ton désespéré.

— Non.

Cette réponse succincte sembla avoir l'effet d'une gifle. Elle avait tressailli, remarqua Quinn, comprenant soudain qu'il ne pouvait aller plus loin. Il allait ouvrir la bouche quand il la vit tendre la main vers le Beretta.

— Vous êtes sûr qu'il n'est pas chargé ? demanda-t-elle d'une voix presque inaudible en prenant doucement l'arme entre ses mains.

— J'en suis certain. Mais cela ne suffit pas. Vous devez vous en assurer par vous-même.

Il se tenait à quelques centimètres derrière elle.

— Règle numéro un : tant que vous ne l'avez pas vérifié personnellement, supposez toujours qu'une arme est chargée.

De manière imperceptible, contrôlée, Jane hocha la tête.

— Ensuite ? demanda-t-elle, les dents serrées.

— D'abord, nous allons tirer une fois à vide afin que vous vous accoutumiez au geste. Vous êtes droitière, donc c'est avec la main droite que vous tirerez.

Il enroula les doigts de Jane autour du revolver.

— Sur cette arme, la sécurité est intégrée à la détente. Ramenez-la en arrière. Vous sentez le déclic ?

Etape par étape, Quinn lui enseigna les bases. Sans chercher à les interrompre, Sullivan s'était rapproché d'eux. Jane semblait avoir des difficultés à adopter la bonne posture et Quinn dut s'accroupir pour rectifier la position de ses pieds.

— La première fois que vous allez sentir le recul, vous allez avoir l'impression que quelqu'un vous a poussée avec violence en arrière, alors, il vous faut être en parfait équilibre. Le pied droit légèrement en avant, le gauche, en retrait. C'est bien. Les coudes, maintenant. Légèrement fléchis.

Levant les yeux, il vit Jane incliner la tête. Elle avait déjà chaussé les lunettes de tir et bien que le casque de protection fût encore autour de son cou, elle ne ressemblait déjà plus à la femme auprès de laquelle il s'était réveillé ce matin. Retenu à la taille par une ceinture de cuir naturel, son nouveau jean moulait parfaitement chacune de ses courbes. Le seul T-shirt qu'elle avait pu trouver dans sa taille était noir. Contrastant avec la blancheur de sa peau, la sévérité de ce ton lui seyait à merveille. Et l'ensemble de cette tenue dépouillée mettait en valeur la ligne racée de sa silhouette.

Quinn se rendit compte que sa main était toujours posée à l'intérieur de la cuisse de Jane. Il s'empressa de la lâcher et s'éclaircit la gorge.

— La cible est à dix mètres, indiqua-t-il. Elle représente un torse parce que en situation réelle, c'est cette partie du corps que l'on cherche à atteindre, et non l'orteil de l'adversaire. Vous voyez ces cercles ? C'est l'emplacement du cœur. Normalement, c'est là qu'il faut viser. Mais pour l'instant, je ne vous en demande pas tant.

Il la considéra d'un air grave.

— En situation réelle, il vous faudrait viser le centre du torse et continuer à appuyer sur la détente jusqu'à ce que le chargeur soit vide.

— Il y a un autre cercle au milieu de la tête..., dit Jane.

Quinn l'interrompit.

— Oubliez-le. Même les professionnels n'arrivent pas toujours à l'atteindre.

D'un air dégagé, Quinn saisit le chargeur posé sur le comptoir devant eux et le tendit à Jane.

— Placez le chargeur dans le revolver comme je vous l'ai montré.

Jane s'exécuta. Puis, de la même façon curieuse que tout à l'heure, ses épaules se voûtèrent. Le Beretta serré dans sa main droite, elle agrippait son poignet avec sa main gauche ainsi qu'il le lui avait montré. Mais ses mains tremblaient. Avec fracas, elle reposa l'arme sur le comptoir métallique et tourna vers lui un regard empli de panique.

— J'ai compris la marche à suivre, dit-elle. Vous m'avez déjà tout expliqué et si jamais je devais m'en servir, je crois que j'y arriverais. Je ne vois pas l'utilité de tirer à balles réelles pour l'instant.

Sa voix était grave, intense.

— Et je ne vois pas non plus pourquoi je devrais m'exercer à tuer un autre être humain, ajouta-t-elle d'un air buté.

— Vous vous exercez à sauver votre vie, mademoiselle. Et Quinn est le meilleur professeur que vous puissiez avoir.

Sullivan s'était rapproché. Les poings négligemment enfoncés dans ses poches, il se tenait à présent à quelques centimètres d'eux.

— Peut-être même meilleur que vous ne le méritez, ajouta-t-il d'une voix cinglante.

— Ne t'en mêle pas, Sully, dit Quinn en posant un regard glacé sur son ami.

— Que voulez-vous dire ?

Mettant en danger l'équilibre de sa posture, Jane s'était retournée brusquement pour faire face au détective. Quinn l'observait avec attention. Le casque de protection qui pendait à son cou lui rappela soudain la corde qui, la veille, avait bien failli l'étrangler. De manière instinctive, il voulut s'interposer entre elle et Sullivan.

— Sullivan, ce qui se passe ici ne te concerne pas..., commença-t-il.

Mais personne ne semblait l'écouter.

— Que voulez-vous dire par « meilleur que vous ne le méritez ? » insista Jane.

Tandis qu'elle le fixait d'un air dur, un mince sourire se dessina au coin de la bouche du détective.

— Ce que je veux dire, c'est que vous vous comportez comme si McGuire était votre ennemi, au lieu du salaud contre lequel il essaie de vous protéger. Oui, il est en train de vous apprendre — en cas d'absolue nécessité — à tuer quelqu'un. Mais mademoiselle est trop sensible pour en imaginer la simple éventualité, n'est-ce pas ?

Sans la quitter des yeux, il secoua la tête.

— Alors, en plus de devoir vous protéger contre ce psychopathe, Quinn va devoir songer à vous protéger contre vous-même, parce que vous refusez d'affronter la réalité. C'est le scénario idéal pour que vous vous fassiez tuer tous les deux... Et si une telle chose arrivait, je vous jure que je ne pleurerais qu'une seule personne.

— Sullivan ! Sors de cette pièce !

La voix de Quinn avait claqué dans le silence comme un coup de fouet.

— Tu dépasses les bornes...

— Non. Il a raison, l'interrompit Jane.

Elle avait presque chuchoté. Mais elle avait mis tant d'intensité dans sa voix que Quinn stoppa net ses vociférations.

— Depuis le début, j'attends que vous me débarrassiez de ce cauchemar sans avoir à fournir le moindre effort, Quinn. Jusque-là, je cherchais à me voiler la face en prétendant que cette situation était extérieure à moi, qu'elle ne me concernait pas vraiment.

Jane se retourna, saisit le Beretta entre ses mains et s'empara également du chargeur qui était posé à côté du revolver.

— Mais à présent, je crois que je n'ai plus le choix, ajouta-t-elle.

D'une main, elle agrippa le casque de protection et l'appliqua sur ses oreilles. Quinn voulut dire quelque chose, mais déjà, elle ne l'entendait plus. Il lança un coup d'œil furieux à Sullivan qui, impassible, lui rendit son regard.

— Bon sang, Sully, tu ne comprends donc pas qu'elle est terrorisée à l'idée de tirer ? gronda Quinn. Je n'aurais jamais dû la forcer à venir ici.

Décidé à mettre fin à cette séance, il se tourna vers Jane. Au même moment, il entendit le claquement net du chargeur qu'on introduit dans l'arme. Dans une posture à présent parfaite, entièrement concentrée sur l'arme qu'elle tenait à la main, son attitude évoquait une détermination des plus inattendue. Intrigué, il fronça les sourcils.

— Terrorisée ? Elle a l'air tout sauf terrorisée, commenta Sullivan à voix basse. Je savais que tu étais un bon professeur de tir, mais je ne te savais pas magicien.

Moi non plus, se dit Quinn. Tenant le revolver à deux mains, canon pointé vers le sol, Jane avait rivé son regard sur la silhouette en carton suspendue dix mètres plus loin. Un calme presque surnaturel semblait s'être emparé d'elle.

Une image s'imposa à lui. Il revit la démarche maladroite avec laquelle elle s'était précipitée en direction des toilettes, la veille au soir — les jambes flageolantes, les mouvements entravés par le gros sac qui battait contre sa hanche. Cette femme-là avait bel et bien disparu. Et celle qui se dressait à présent devant lui était une tout autre personne.

Sans savoir pourquoi, il voulut tout arrêter, tout de suite, et fit un pas en avant.

Mais déjà, d'une main sûre, Jane pointait le canon du revolver en direction de la cible, et ainsi qu'il le lui avait appris, ses coudes se plièrent légèrement pour appréhender le recul à venir. Elle tira un premier coup. Une cartouche vide s'éjecta du chargeur pour retomber à ses pieds. Quinn sut alors que rien de ce qui se déroulait sous ses yeux n'était le résultat de ses enseignements.

Le recul fut brutal, mais comme si elle en avait anticipé l'exacte intensité, Jane avait déjà agrippé son poignet à l'aide de sa main gauche pour le stabiliser. Au moment où Quinn enfilait en hâte son propre casque de protection, le second coup retentit dans la pièce avec une force assourdissante. Une fraction de seconde plus tard vint le troisième, puis l'espace d'un battement de cil, Jane tira une quatrième balle. Une à une, les cartouches vides bondissaient hors du chargeur pour retomber aux pieds de Jane en tournoyant sur elles-mêmes.

Cinq. Six. De manière inconsciente, Quinn comptait les balles, mais son attention était entièrement braquée sur Jane. En dehors de la femme dressée devant lui, du revolver qu'elle serrait dans sa main et des explosions de plus en plus rapprochées qui déchiraient l'air, plus rien ne semblait exister pour lui. Sept... Accusant doucement le choc, la main de Jane se leva avant de redescendre pour stabiliser l'arme avec une aisance extraordinaire. Puis, une nouvelle fois, son index se posa sur la détente. Huit.

A force de serrer son poignet droit, les articulations de sa main gauche étaient devenues blanches. Quinn savait qu'il restait deux balles dans le chargeur. Neuf. L'expression de Jane était indéchiffrable et d'après l'immobilité de son profil, Quinn voyait que ni la violence du bruit, ni l'odeur âcre de la poudre, ni même la puissance de la détente qui à chaque nouveau coup de feu ébranlait ses bras ne semblaient la perturber.

Une dernière fois, elle abaissa les mains, stabilisa sa position, puis elle appuya sur la détente du revolver. Le dixième et dernier coup retentit dans la pièce.

Jane pointa aussitôt le canon du revolver vers le sol. Elle aussi avait compté les balles, se dit alors Quinn, désorienté. Ce dernier détail le déconcerta plus encore que l'ensemble de la scène à laquelle il venait d'assister. Mais ce qui vint ensuite était encore plus déroutant. Sans même regarder le revolver, d'un seul doigt, Jane déclencha l'ouverture du magasin en dehors duquel elle fit tranquillement glisser le chargeur vide. Puis, d'une main experte, elle déposa l'arme et le chargeur sur l'étagère à côté d'elle. A l'aide de son pouce, elle pressa ensuite le bouton qui activait le câble afin d'amener la cible devant la cabine de tir. Il ne lui avait même pas montré à quoi servait ce bouton, songea Quinn, médusé. Et tandis que la silhouette en carton se rapprochait d'eux, Jane ôta vivement ses lunettes et fit glisser son casque sur son cou.

Elle ne l'avait pas regardé une seule fois, n'avait pas ouvert la bouche. En fait, songea-t-il avec une pointe d'irritation, c'était comme si elle n'avait même pas eu conscience de sa présence à son côté. Il s'apprêta à dire quelque chose — n'importe quoi — susceptible de briser l'inquiétant mutisme de Jane. Mais il fut pris de vitesse.

— Nom de Dieu ! s'exclama Sullivan, impressionné, en faisant un pas vers eux. Faut-il attribuer cet exploit à sainte Barbara, la protectrice des artilleurs ?

Quinn ne répondit pas. La cible s'était à présent rapprochée. Et il ne comprit pas tout de suite ce que ses yeux lui permettaient de voir. Jane semblait avoir manqué tous ses coups, songea-t-il au premier regard, l'esprit embrouillé. Aucun des cercles concentriques placés autour du cœur n'avait été touché. Avec un horrible grincement, la cible glissa jusqu'à une trentaine de centimètres de la barrière de tir avant de s'immobiliser dans un dernier à-coup. Jane tendit la main pour la rapprocher encore d'elle. Son regard n'était pas posé sur le torse en carton, mais plus haut. Quinn vit alors ce qu'elle cherchait des yeux.

Tout à l'heure, Jane avait fait remarquer qu'il y avait un autre cercle au niveau de la tête de la cible. Mais à présent, celui-ci avait disparu, tant il était criblé de trous aux contours nets, précis. Et Quinn savait déjà que s'il lui prenait le carton des mains, il découvrirait que chacun des dix coups avait atteint sa cible. Bien qu'il en ait la preuve, il ne parvenait pas à en croire ses yeux. C'était incompréhensible.

— Attention, s'écria soudain Sullivan.

Quinn arracha son regard à la cible que Jane venait de lâcher. La jeune femme vacillait sur ses jambes et il dut la retenir par la taille avant qu'elle ne s'effondre au sol.

— Qu'y a-t-il, Jane ? Vous êtes souffrante ? demanda-t-il d'une voix inquiète.

Les yeux d'un bleu profond étaient vitreux et fixes. Mais l'instant d'après, Quinn les vit revenir à la vie. Jane riva alors son regard dans le sien.

— C'est moi qui ai fait cela, n'est-ce pas ? demanda-t-elle en désignant la cible d'un mouvement imperceptible de la tête.

— Oui. C'est vous, admit Quinn, tendu. Je n'ai jamais rien vu de pareil. Savez-vous où vous avez appris à tirer ainsi — avez-vous soudain recouvré une partie de votre mémoire ?

— Non. Mais je crois avoir eu un aperçu de la personne que je suis, répliqua Jane d'une voix rauque.

Un frisson la parcourut. Elle ferma les yeux un instant puis les rouvrit et rencontra le regard de Quinn.

— Oh, Quinn, je crois que c'est un tigre ! murmura-t-elle d'une voix angoissée.

7.

Le petit cliché en noir et blanc était si flou qu'on discernait à peine les traits de la jeune femme qu'il était censé représenter. Plissant les yeux, Jane prit un peu de recul.

Elle parvint ainsi à distinguer des cheveux bruns mi-longs et des yeux graves qui, de manière étrange, démentaient le sourire radieux dessiné par la bouche.

— Vous pouvez laisser tomber ce dossier.

Surprise, elle leva les yeux. Terry Sullivan venait d'entrer dans la pièce. Elle crut déceler une certaine raideur dans son attitude. Mais le gobelet de café qu'il déposa devant elle semblait indiquer une intention plutôt amicale.

— Quinn est dans mon bureau. Il est toujours au téléphone. Vous avez besoin de quelque chose ?

— Merci, répondit-elle, déjà concentrée sur l'ouverture du couvercle en plastique. Je n'ai besoin de rien.

Esquissant un sourire, elle s'enfonça de nouveau dans le fauteuil en cuir et eut un geste vague pour désigner ce qui l'entourait.

— Cette pièce est vraiment très agréable.

— C'est une des salles dans lesquelles nous accueillons nos clients, expliqua Sullivan en embrassant le vaste bureau du regard. Les décors cossus ont un effet calmant. C'est parfois utile, quand une cliente hystérique s'adresse à nous, prête à arracher les yeux de son mari qu'elle soupçonne de la tromper. J'ai pensé que vous aussi vous auriez besoin d'un peu de confort pour traverser cette épreuve.

— Je me doutais que ce serait pénible, répondit Jane.

Posant les yeux sur les photos et les descriptions dactylographiées éparpillées sur le plateau de la grande table d'acajou, elle y prit la photographie qu'elle était en train d'étudier avant l'entrée de Sullivan.

— Mais je n'avais pas soupçonné que ces recherches seraient aussi éprouvantes, ajouta-t-elle. Pourquoi me suggérez-vous de laisser tomber ce dossier, Terry ?

Sullivan lui prit le cliché des mains.

— Cette photo a été rangée avec les autres par erreur. Le cadavre de cette femme a été récemment retrouvé dans un terrain vague. Son mari est accusé du crime. Avez-vous trouvé quelque chose qui pourrait correspondre ? demanda-t-il en désignant les différents dossiers posés devant elle. Hélas, nous ne disposons pas toujours de photographies pour accompagner les informations.

— Non, je n'ai rien trouvé pour l'instant. Terry, cela fait longtemps que vous connaissez Quinn ? s'enquit soudain Jane, pressée d'oublier la jeune femme au sourire radieux mais au destin si tragique.

La façon abrupte dont elle changea le tour de la conversation surprit Sullivan.

— Assez longtemps, répondit-il, aussitôt sur ses gardes. Pourquoi ?

Jane hésita.

— Il m'a sauvé la vie, hier soir, finit-elle par répondre. Il est naturel que j'aie envie d'en savoir plus à son sujet. Mais si je lui demandais de me parler de lui, je doute obtenir plus d'informations que son nom, son grade et son matricule.

— Et qu'est-ce qui vous fait croire que je vais déballer ses secrets à sa place ? demanda Sullivan.

Appuyé contre le rebord de la table, il la considéra d'un air narquois. Mais ce qu'elle dit ensuite eut pour effet immédiat de modifier son attitude.

— Je connais son secret. Vous aussi, affirma-t-elle d'une voix tranquille en le regardant droit dans les yeux. La seule personne qui n'en sache rien, c'est sans doute Quinn lui-même. Quelque chose dans son passé fait qu'il est rongé par la culpabilité — au point de penser que seule la mort pourrait racheter ses fautes. Je me trompe ?

Le visage soudain fermé, Sullivan s'était redressé et la fixait à présent avec intensité.

— Cette conversation est terminée, dit-il d'une voix glacée. Je ne sais même pas pourquoi je vous ai laissée…

— Il m'a embrassée hier soir. Et j'ai répondu à son baiser.

Jane rougit légèrement mais elle continua de soutenir le regard de Sullivan.

— D'habitude, je déteste qu'on me touche. Mais là, c'était… c'était différent.

Sullivan se laissa retomber contre le plateau de la table et la dévisagea avec insistance.

— Sacrée Jane ! dit-il à voix basse après un moment.

Le coin de sa bouche se releva comme pour esquisser un sourire.

— Mais qu'essayez-vous de me dire, chère mademoiselle ? Que vous êtes tombée amoureuse d'un barjot d'Irlandais ?

— Non. Je ne sais pas.

Elle s'interrompit et l'angoisse qu'il lut dans son regard le força à reprendre son sérieux.

— Tout ce que je sais, c'est que durant les brefs instants que j'ai passés entre ses bras, je me suis sentie si bien que j'ai eu l'impression d'avoir retrouvé un foyer — de savoir qui j'étais et d'où je venais. Le problème, c'est que je n'ai aucune idée de qui il est, lui. Et le peu que j'en connais m'effraie, Sully.

De manière inconsciente, elle venait d'employer le diminutif qu'utilisait Quinn pour s'adresser à son ami. Les yeux bleus qui la fixaient se détournèrent un instant avant de revenir sur elle.

— Quinn n'a jamais connu son père, déclara soudain Sullivan. Très jeune, il a quitté l'Irlande en compagnie de sa mère. Celle-ci avait de la famille à Boston où elle espérait pouvoir lui assurer une vie meilleure. Hélas, elle mourut quelques semaines après leur arrivée. Durant les dix années qui suivirent, Quinn a été ballotté d'un membre de la famille à l'autre, jusqu'à ce qu'il mente à propos de son âge et s'engage dans l'armée. Je pense que celle-ci a été son premier vrai foyer, dit-il en haussant légèrement les épaules. Je sais qu'il considérait les hommes auprès desquels il combattait comme sa seule et unique famille.

— Pourquoi a-t-il quitté l'armée ? Qu'est-ce qui l'a poussé à devenir mercenaire ?

— Il a pris du galon.

Sullivan eut un sourire amer.

— Rapidement, Quinn a monté une série d'échelons successifs. Au bout d'un moment, sentant qu'il perdait tout contact avec la réalité des simples soldats, il a demandé à ce qu'on lui retire un ou deux grades pour se rapprocher de ses hommes. Il lui a été répondu que l'armée ne fonctionnait pas ainsi. Alors, dès qu'ils ont bien voulu lui rendre sa liberté, Quinn a démissionné. Mais il ne connaissait que la guerre et la vie de caserne. C'est pourquoi il est devenu mercenaire. J'avais moi-même servi sous ses ordres dans l'armée. Quand j'en ai eu assez, je l'ai rejoint. Pendant un certain temps, nous avons été quelques-uns à nous suivre de mission en mission. Une poignée d'inséparables, en quelque sorte…

Chargée de souvenirs, la voix de Sullivan s'était faite plus grave. Il se tut un instant. Puis, comme pour s'éclaircir les idées, il secoua la tête.

— Mais ce n'est pas comme de travailler dans un bureau, reprit-il. Un mercenaire ne prend pas sa retraite, au bout de quarante ans, pour finir ses jours en Floride. Pour lui, il n'y a qu'une alternative : démissionner, comme j'ai fini par le faire, ou mourir au combat.

Saisissant le couvercle en plastique abandonné sur la table, Sullivan arracha machinalement un des petits triangles qui en composaient le centre.

— Le premier à partir fut Jack Tanner. Je sais que sa mort a été un grand choc pour Quinn. Depuis le début, ils ne s'étaient jamais quittés. Le deuxième a été Paddy Doyle. Peu après, j'ai démissionné. Paddy était mon meilleur ami après Quinn. Mais à vrai dire, tout le monde aimait Paddy. Ses cendres ont été rapatriées jusqu'ici. Une fois, alors que je me rendais sur sa tombe, j'ai aperçu Quinn qui repartait. Nous avons tous les deux fait semblant de ne pas s'être vus.

Sullivan arracha un deuxième fragment de plastique au couvercle.

— Comme je vous le disais, après la mort de Paddy, le cœur n'y était plus. Je suis parti le premier. Puis d'autres ont suivi. De notre bande de joyeux lurons, il ne restait plus que Quinn et le jeune Haskins.

Sa bouche prit un pli amer et il posa son regard sur elle.

— Quinn se sent responsable pour chacun de ces gars. Mais le plus gros choc pour lui a été la mort de Haskins. Depuis, il n'attend qu'une chose : se faire tuer à son tour. Un de ces jours, demandez-lui donc de vous parler des oies sauvages…

Il ouvrit la main et des lambeaux de plastique voletèrent jusqu'au sol comme des confettis. Après avoir essuyé ses mains sur les jambes de son pantalon, il se redressa.

— S'il accepte d'en discuter avec vous, c'est que vous êtes la seule personne à pouvoir l'aider. Mais je doute qu'il vous en parle.

— Lui parler de quoi ? demanda Quinn depuis l'encadrement de la porte.

Il traversa la pièce jusqu'à la table.

— C'est arrivé par fax pendant que je téléphonais, dit-il en tendant le rouleau de papier à Sullivan. Lui parler de quoi ? insista-t-il, les sourcils froncés.

— De la nuit où on s'est engagés dans cette mémorable partie de poker avec ces dingues de Russes, improvisa Sullivan avec un regard malicieux à l'adresse de Quinn. Quinn est nul au jeu, ajouta-t-il — et c'était un strip-poker. Il était déjà en caleçon et en chaussettes et il a tout misé sur un carré. Mais les Russes avaient une quinte flush !

— Tu as omis un détail d'importance, Sully, grommela Quinn. Les officiers russes étaient des femmes, se hâta-t-il de préciser.

Un sourire amusé aux lèvres, Sullivan commença à parcourir d'un œil distrait les documents que venait de lui remettre Quinn.

— Vous avez déniché quelque chose d'intéressant ? demanda Quinn en s'adressant à elle.

— J'ai pu me rendre compte que mon sort était plus enviable que celui de certaines de ces pauvres femmes, répondit Jane en soupirant. Mais à part cela, ces dossiers n'évoquent rien pour moi. Ainsi que je le disais à Sully, je pourrais être n'importe laquelle d'entre elles.

— Je vous laisse poursuivre vos recherches, Jane, lança Sullivan. Quinn, tu as une minute ? J'ai quelque chose à te dire.

— Cela ne peut pas attendre ? rétorqua celui-ci avec une pointe d'impatience dans la voix.

Il était déjà absorbé dans l'examen des documents étalés sur le bureau.

— Vous devriez jeter un coup d'œil à celui-ci, Jane, dit-il. Cette femme a disparu quelques jours seulement avant votre admission à l'hôpi…

— Non, c'est urgent, répliqua Sullivan, l'interrompant.

Intrigués par son ton péremptoire, ils braquèrent sur lui le même regard interrogateur. Voyant qu'il évitait le sien, Jane ressentit une soudaine appréhension.

— De quoi s'agit-il, Sully ? demanda Quinn, les sourcils froncés. Tu sais bien qu'il va nous falloir des heures pour éplucher tous ces dossiers…

— Je pense que non, Quinn, coupa Jane, en reposant le cliché qu'elle tenait à la main. Je crois que Sullivan vient de limiter la liste des hypothèses à une seule. Je me trompe, Sullivan ?

Celui-ci ne répondit pas.

— Qu'est-ce que c'est que ces mystères, Sully ? grogna Quinn d'un ton à présent excédé. Explique-toi ! Tu penses avoir trouvé une piste ?

Il repoussa sa chaise et commençait à se lever quand Sullivan se décida à prendre la parole.

— Jim ne m'a pas envoyé ce dossier plus tôt parce que cette femme ne figurait pas dans les listes des personnes déclarées disparues par des proches.

Il extirpa un document du rouleau de télécopies qu'il venait de recevoir.

— Lis ça, dit-il en tendant la feuille à Quinn.

Mais Quinn demeurait immobile.

— Si tu penses que cela peut concerner Jane, il me semble qu'elle est la première à avoir le droit de savoir. Lis-le à haute voix, ordonna-t-il en rivant son regard dans celui de son vieux camarade.

Observant les deux hommes s'affronter un instant en silence, Jane vit un muscle se tendre dans la mâchoire de Quinn.

— Lis-le, Sully, répéta celui-ci d'une voix soudain dénuée de colère.

Pour finir, Sullivan obtempéra.

— « Nom : Jan Childs. Age : 26 ans. Poids : 54 kilos. Taille : 1 mètre 67. Disparue à Raleigh, le 30 août, lut Sullivan d'une voix monocorde. Cette femme est certainement armée et doit être considérée comme extrêmement dangereuse. C'est un tireur d'élite, spécialisée dans la petite artillerie et les armes de poing. Officier de police corrompu, Childs est aujourd'hui recherchée par tous nos services. »

Jane baissa les yeux et considéra d'un œil hagard les quelques photos froissées qu'elle venait de serrer entre ses poings fermés. A côté d'elle, elle entendit Quinn prendre une profonde inspiration.

— « L'inspecteur en chef Childs est accusée du meurtre de Richard Stanwell Asquith », ajouta Sullivan d'une voix grave.

— Ce n'est pas vous, s'exclama Quinn en arrachant la télécopie des mains de Sullivan. Un officier de police ? Armée et dangereuse ? Une meurtrière ? Cela ne peut pas être Jane.

Jane leva les yeux. Son regard était fixe, ses traits tendus.

— « Je sais ce que tu as fait », énonça-t-elle d'une voix blanche. Vous voulez appeler Tarranova, Quinn, ou dois-je le faire moi-même ?

Sans doute à cause de l'ordre méticuleux qui y régnait et aussi de son aspect dépouillé, le petit appartement de Quinn donnait une étonnante impression d'espace, remarqua Jane. Elle jeta un coup d'œil dans sa direction. Depuis leur arrivée, quelques heures auparavant, il était toujours au téléphone et s'était entretenu à plusieurs reprises avec Sullivan.

Il avait insisté pour qu'elle passe la nuit ici. Quinn et, à sa grande surprise, Sullivan lui avaient tous deux demandé de revenir sur sa décision de contacter la police ou tout au moins de la repousser de vingt-quatre heures.

— Je vais lancer des recherches supplémentaires concernant cette Jan Childs, avait annoncé Sullivan, et voir si je peux aussi obtenir des renseignements sur Richard Asquith, l'homme qu'elle est supposée avoir tué. J'ai un gars à Raleigh. Je vais le mettre sur cette affaire dès maintenant. Il nous faut absolument une photo de cette femme.

— Vous n'êtes pas une meurtrière, Jane. Depuis le début, j'en suis persuadé, s'entêtait à répéter Quinn.

— Comment pouvez-vous en être sûr ? avait-elle répliqué. Ce qui s'est passé dans la salle de tir a été un choc pour nous deux, Quinn. Il peut y avoir encore bien des choses que vous ne soupçonnez pas me concernant.

— Je ne sais pas, avait-il répondu d'un ton déterminé. Mais ce n'est pas parce que nous vous avons découvert des dons jusque-là insoupçonnés que je me trompe à votre sujet. Bon sang, Jan, ma vie dépend de ma seule aptitude à cerner la personnalité des gens qui m'entourent…

Médusé, Quinn s'était interrompu. Jane avait alors aperçu la lueur d'embarras qui avait traversé son regard.

— Vous aussi, vous trouvez que ce prénom me va bien, n'est-ce pas ? avait-elle prononcé d'une voix tranquille. Je vous accorde vingt-quatre heures, Quinn. Mais après ce délai, j'appellerai moi même Jennifer Tarranova.

A présent, elle regrettait d'avoir cédé à leurs instances. Ce sursis ne faisait que repousser l'inévitable.

— Vous avez faim ?

Quinn avait raccroché et se dressait à présent devant elle. Levant à peine la tête, Jane haussa les épaules.

— Pas vraiment.

— Des œufs brouillés et des toasts, cela vous va ? offrit-il, dédaignant sa réponse négative.

Avant qu'elle n'ait eu le temps de comprendre ses intentions, il avait saisi sa main et la hissait hors du fauteuil dans lequel elle s'était effondrée aussitôt arrivée.

— Venez, nous pourrons bavarder dans la cuisine le temps que je prépare notre repas, dit-il avec entrain. Je ne veux pas que vous restiez seule ici à vous morfondre.

S'il espérait qu'elle allait le distraire par sa conversation, il se trompait, se dit-elle avec une pointe d'irritation. A contrecœur, elle le suivit cependant jusqu'à la cuisine où elle se laissa tomber sur la première chaise à sa portée.

— Je n'ai pas faim, répéta-t-elle d'une voix maussade. Et je n'étais pas spécialement en train de me morfondre. Mais après ce que nous avons appris aujourd'hui, vous ne vous attendriez tout de même pas que je saute de joie, Quinn.

— Il faut que vous mangiez quelque chose et je n'ai aucune intention de me retrouver seul face à mon assiette, rétorqua celui-ci en déposant une poêle sur la cuisinière avec un peu plus de force que nécessaire.

Puis il sortit un carton d'œufs du réfrigérateur.

— Tout ce que nous avons vraiment appris aujourd'hui, c'est que vous êtes un tireur hors pair. Vous devriez plutôt vous réjouir — vous êtes presque aussi bonne que moi.

— Presque ? remarqua Jane en haussant un sourcil.

Au bout de l'étroite et longue cuisine se trouvait une fenêtre qui, d'après les explications de Quinn, donnait sur un petit jardin. Il l'ouvrit et jeta un coup d'œil au ciel qui allait s'assombrissant.

— O.K. Si on faisait un concours, les jeux pourraient être serrés, je vous l'accorde, dit-il avec désinvolture tout en prenant une grande bouffée d'air frais. Vous voyez ces petits moineaux ? Ils s'installent pour la nuit.

— Je vous battrais à plate couture et vous le savez très bien, rétorqua Jane avec plus d'énergie qu'elle n'en avait fait preuve depuis que son univers s'était effondré, quelques heures auparavant.

Elle fronça les sourcils.

— Et en parlant d'oiseaux, lança-t-elle en se rappelant soudain les propos de Sullivan, Terry m'a suggéré de vous demander de me parler des oies sauvages. Que voulait-il dire ?

Accoudé à la fenêtre, Quinn lui tournait le dos. Il ne répondit pas tout de suite. Et à mesure que le silence s'éternisait, Jane regretta sa question.

— Faites comme si je n'avais rien dit, souffla-t-elle, soudain mal à l'aise.

— Oh ! Ce n'est pas un secret, répondit-il, le regard rivé sur le ciel. Mais ce n'est qu'une légende sans intérêt.

De l'autre côté du petit jardin se dressait le bâtiment jumeau de celui dans lequel ils se trouvaient — un vieil immeuble démodé de six étages. Bercée par le gazouillis incessant des oiseaux, depuis sa chaise, Jane voyait les rectangles de lumière jaune s'allumer sur la façade opposée.

Contre le mur extérieur, juste à côté de la porte, elle aperçut une mangeoire et une minuscule maison de bois suspendues à un clou. Incrédule, elle cligna des yeux.

La veille au soir, lorsqu'elle avait posé pour la première fois son regard sur Quinn, il l'avait aussitôt intimidée. En observant à présent sa carrure imposante, son immobilité, le contrôle qu'il exerçait sur chacun de ses gestes, elle comprit que c'était la combinaison de ces éléments qui faisait se dégager de lui cette formidable impression de force. Une force retenue, comme muselée, et par là même inquiétante. Quinn évoluait dans un monde de violence dans lequel, pour survivre, il avait dû lui-même développer une certaine combativité. Dans ce sens, la première image qu'elle avait eue de lui était juste. Mais pour autant, elle était incomplète. Car ce même homme prenait plaisir à observer une poignée de moineaux. A leur intention, il avait même construit un abri et déposé des graines pour qu'ils ne meurent pas de faim.

Et avec obstination, il croyait en elle — avec une certitude qu'elle-même ne parvenait pas à nourrir.

De nouveau, Jane cligna des yeux. Mais cette fois, c'était pour refouler les larmes ridicules qu'elle sentait à présent se former derrière ses paupières, comme elle sentait se relâcher dans ses muscles la tension accumulée au cours de cette journée. Cette sensation de paix passagère ne lui permettrait sans doute pas d'affronter avec sérénité la terrible épreuve qui l'attendait, songea-t-elle. Mais elle lui suffirait à aller jusqu'au bout de cette soirée. Elle ne pouvait en demander plus. Sans bruit, elle se leva et franchit les quelques pas qui les séparaient.

Rejoignant Quinn, elle s'accouda à son tour à la fenêtre et comme lui, fixa l'obscurité qui envahissait peu à peu le ciel d'automne.

— Ces couleurs, dit-elle d'une voix tranquille. C'est comme si, quelque part à l'autre bout de la terre, un monde était en flammes, et que d'ici, nous n'en percevions que quelques volutes de fumée rougeoyantes. J'aime vraiment ce moment de l'année.

— Moi aussi.

La voix de Quinn était aussi paisible que la sienne.

— Ma mère disait toujours que l'automne était sa saison préférée. Juste avant que la nuit ne tombe, nous allions souvent nous promener tous les deux et en marchant, nous regardions les lumières s'allumer mystérieusement sur les façades des maisons.

Il rencontra son regard.

— Je ne me souviens pas très bien d'elle, mais cette image est restée gravée dans ma mémoire.

— Sullivan m'a dit qu'elle était morte quand vous étiez tout petit, prononça Jane d'une voix hésitante.

— Quand il s'agit de cancaner, Sully est aussi terrible que ma vieille tante Bridget ! protesta Quinn d'une voix égale. Je vais avoir une petite discussion avec lui à ce sujet.

Découvrant une graine de tournesol sur le rebord de la fenêtre, elle la saisit délicatement entre ses doigts.

— C'est ma faute. C'est moi qui lui ai demandé de me parler de vous.

— Ah bon. Et pourquoi ? demanda-t-il.

Sa voix était neutre, mais Jane vit sa mâchoire se contracter.

— Pourquoi vous intéresseriez-vous à moi ? Je ne suis qu'un vieux baroudeur — un Irlandais exilé qui s'est battu trop longtemps pour des causes qui ne le concernaient pas.

Jane retint un soupir excédé. S'ils s'étaient rencontrés dans d'autres circonstances, se dit-elle soudain avec une ironie désabusée, ils auraient sans doute découvert qu'ils formaient un duo très bien assorti. En tout cas, ils étaient tous deux très doués pour s'entourer de solides carapaces. Elle décida de tenter une approche plus directe.

— Vous cherchez les compliments, McGuire ? demanda-t-elle en lui glissant un regard narquois entre ses cils.

L'air frais avait coloré ses joues et une mèche de cheveux s'était collée à l'angle de sa bouche. Sans le quitter des yeux, elle l'écarta d'une main désinvolte. Après un moment, Quinn se tourna vers elle et lui adressa un de ces sourires qui avaient pour effet de le transformer en un homme complètement différent.

— Peut-être bien, répondit-il.

Leurs visages étaient si proches à présent qu'elle sentait la chaleur de son souffle sur ses lèvres glacées.

— Pourquoi avez-vous contraint Terry à ragoter sur mon compte ? Qu'est-ce qui, chez moi, a ainsi éveillé votre…

Il s'interrompit. Son hésitation était calculée, elle l'aurait juré.

— Votre intérêt ? finit-il par prononcer d'une voix enjôleuse.

Lorsqu'il avait déployé ses charmes auprès de Jennifer Tarranova, sa voix avait eu les accents chatoyants du velours. Mais à présent, elle avait la douceur d'un nectar — un nectar mâtiné de whisky irlandais. Jane se demanda tout à coup quel serait l'effet de cette voix dans un lit, dans le noir.

Cela ne ressemblerait sans doute à rien de ce qu'elle avait jamais connu, se dit-elle, le souffle un peu court. Prenant son courage à deux mains, elle entreprit de lui répondre.

— Je voulais simplement en savoir un peu plus sur l'homme qui m'avait embrassée.

Elle eut soudain l'impression qu'il n'y avait pas assez d'air dans sa poitrine pour expulser ces quelques mots. Comme il tardait à répondre, la sensation d'étouffement s'intensifia.

Les accents lointains d'une mélopée s'élevèrent soudain dans la nuit. Quelqu'un devait avoir allumé la radio dans un appartement voisin.

— Ecoutez ! commenta Quinn avec un sourire en coin. Mme Lavery a ressorti ses vieux crooners et si je ne me trompe, nous avons droit à son cher Sinatra interprétant *Strangers in the night.*

Il inclina la tête sur le côté.

— Non. C'est *Soyons fous.* Encore plus approprié, étant donné ce que je meurs d'envie de faire en ce moment.

La contrainte invisible qui pesait sur sa poitrine sembla soudain s'alléger et Jane posa son regard sur Quinn. Ses yeux, habituellement si pâles, avaient viré au gris profond.

— Je ne sais peut-être pas grand-chose vous concernant, McGuire, mais je sais que vous êtes tout sauf fou, prononça-t-elle d'une voix calme. Un peu casse-cou, sans doute, mais certainement pas fou.

Quinn secoua la tête. Son sourire avait disparu.

— A vrai dire, je suis probablement les deux, mon ange, énonça-t-il avec gravité. Vous devriez vous méfier.

Hier, lorsqu'elle l'avait embrassé, Jane avait tenté de se persuader que ce n'était qu'un rêve.

C'était comme si, durant quelques instants, elle avait été une autre. Et Quinn avait ensuite entretenu ce mensonge en mettant son attitude sur le compte du choc. Mais aujourd'hui, elle ne pouvait plus se cacher derrière le masque qu'elle s'obstinait à porter. Car cette apparente façade de fragilité s'était effondrée de manière irrévocable quelques heures auparavant. En réalité, celle-ci avait déjà commencé à s'effriter la veille au soir, dans ces toilettes lugubres.

Mais cette fois-ci, Quinn ne lui donna guère l'occasion de jouer la comédie.

Soudain, sa bouche vint se poser sur la sienne — avec une telle ardeur que si deux bras musclés ne s'étaient pas enroulés au même instant autour de sa taille, elle eût été contrainte de reculer d'un pas. Il se montrait très clair à présent quant à ce qu'il se passait entre eux, songea-t-elle, comme étourdie : c'était du désir pur, charnel. Rien d'autre à l'avenir ne pourrait leur ôter ce moment. Et c'était très bien ainsi.

Inclinant la tête, elle accueillit sa bouche. Un bras puissant entourait sa taille tandis qu'une main courait dans ses cheveux, les ramenant en arrière pour mieux s'y enfouir. L'autre était descendue jusqu'à la naissance de ses fesses, moulées dans la toile du jean. Prisonnières entre leurs deux corps, ses mains à elle caressaient son torse puissant.

Puis elle sentit sa langue entrer profondément en elle et lui abandonna la sienne.

Pressée ainsi contre lui, Jane avait l'impression de s'ouvrir, de s'épanouir comme une fleur au matin contre chaque parcelle de ce corps massif. Une sensation de légèreté, d'apesanteur, l'envahit et bientôt, elle comprit que ce n'était pas un effet de son imagination. Sans effort, juste en la serrant plus près de lui, Quinn l'avait soulevée de terre. La main qui, un peu plus tôt, était appliquée sur ses fesses la soutenait à présent de la manière la plus intime qui fût.

La veille, le simple fait qu'il lui caressât le bras lui avait d'abord inspiré un mouvement de recul. Mais aujourd'hui, elle désirait ardemment tout ce qu'il était en train de lui offrir et plus encore.

Malgré l'air frais qui les enveloppait comme de la soie, chaque parcelle de leurs corps semblait brûlante, liquide comme du métal en fusion. Ses mains remontèrent le long de la poitrine de Quinn. Ses doigts cherchèrent son visage.

C'était comme s'il buvait à sa bouche, se dit-elle dans un dernier éclair de lucidité. Comme si, le temps pressant, il absorbait avec avidité tout ce qu'il pouvait y puiser avant que le vent ne l'emporte et ne le détruise. En retour, il disséminait en elle une vague brûlante qui venait se concentrer dangereusement là où sa main s'était lovée pour la soutenir.

Elle sentait cette main se presser contre elle avec insistance. Les muscles tendus, le corps dur, Quinn réclamait à présent son dû sans aucune équivoque. Un râle animal franchit ses lèvres.

A contrecœur, Quinn s'écarta d'elle et Jane ouvrit les yeux.

Le regard perdu dans le vague et le souffle un peu court, Quinn mit un moment à revenir à la réalité. Puis semblant reprendre conscience de ce qui l'entourait, doucement, il la reposa au sol. L'air contrit, il posa les yeux sur elle.

— C'était supposé être beaucoup plus subtil que cette

charge d'infanterie, mon ange. Mais c'était si bon. J'ai un peu perdu la tête…

Son regard se voila une nouvelle fois.

— J'avais pourtant promis de ne plus vous embrasser. On ne peut vraiment pas me faire confiance, n'est-ce pas ?

— Le devrais-je, McGuire ? demanda Jane en suivant du bout de l'index le contour de sa lèvre inférieure.

Quinn le saisit doucement entre ses dents et sans la quitter des yeux, le mordit légèrement.

— Non, dit-il en secouant doucement la tête, le doigt de Jane toujours serré entre ses dents.

— J'avais raison de me méfier de vous, alors ?

Doucement, elle fit descendre son autre main le long du large torse jusqu'au cuir usé de sa ceinture. Puis, soulevant un à un le bord de son T-shirt, ses doigts se glissèrent sous la toile du jean pour goûter la chaleur de sa peau.

Le regard de Quinn vacilla. Jane récupéra son doigt et le posa délicatement sur sa lèvre inférieure.

— Plus maintenant, prononça-t-il d'une voix rauque. Je ne suis plus dangereux du tout. Vous m'avez désarmé — complètement désarmé.

— Vous mentez encore, McGuire, dit-elle en lançant un regard éloquent un peu en dessous de la ceinture de Quinn.

— C'est vrai, admit-il.

Prenant soudain conscience de l'air glacé qui s'engouffrait par la fenêtre ouverte, Jane frissonna. Quinn la saisit par la taille et d'autorité, il la poussa un peu sur le côté avant de se détourner pour refermer la fenêtre.

Son regard se posa alors sur le carton d'œufs et la poêle abandonnés sur la cuisinière.

— Voyez comme je traite les femmes, dit-il. Une de mes spécialités, ajouta-t-il avec une grimace, c'est de leur proposer à dîner, puis de les laisser mourir de faim. Venez, on va vous trouver un pull-over et ensuite vous pourrez vous asseoir ici et me regarder pendant que je m'applique à tenir au moins une de mes promesses.

Comme chaque fois qu'une émotion l'étreignait, son accent irlandais était revenu à la charge. Soudain, Jane sut pourquoi Quinn évitait son regard. Tendant la main, elle la posa sur son bras.

— Vous ne voulez pas que j'appelle Tarranova demain.

C'était une affirmation, pas une question. Mais Quinn entreprit tout de même de répondre.

— Si je me suis engagé à vous protéger, Jane, ce n'était pas pour que vous vous rendiez aussitôt aux autorités. Et à présent, cette pensée m'est encore plus insupportable.

Immobile, il dressait devant elle sa stature imposante, bardée de muscles d'acier. Mais maintenant, cette force extraordinaire ne l'intimidait plus. Une partie de Quinn McGuire semblait s'être réchauffée, songea-t-elle, et ce qu'il ressentait pour elle ne se limitait pas exclusivement au désir charnel. Elle le savait — elle le savait parce qu'elle ressentait la même chose pour lui.

Mais le destin ne leur donnerait jamais l'occasion de le vérifier. Et malgré ce qu'il pouvait ressentir en cet instant, au fond de son cœur, Quinn le savait aussi bien qu'elle.

— Je pense vraiment être Jan Childs, Quinn. Tout concorde : le fait que j'aie si peur de découvrir ma vraie identité, la façon dont mon agresseur semble vouloir me punir pour le crime auquel il ne cesse de faire allusion dans ses messages… Or cette femme a tué quelqu'un. Avant, je ne voulais surtout pas savoir ce que j'avais fait. Mais à présent, je ne peux plus me voiler la face, il faut que je me rende, Quinn. Jane Smith n'a plus qu'une nuit à vivre. Et cette dernière nuit… je veux la passer avec vous.

— Et si je vous répondais que je ne me contenterai pas

d'une seule nuit ?

Son regard était franc, limpide. Jane détourna les yeux.

— Dans ce cas, notre aventure se terminera comme elle a commencé, par un simple baiser. Pas de regrets, pas de tricherie, McGuire. Et demain, j'appellerai Tarranova.

— Vous n'êtes pas coupable, Jane, et je ne veux pas…

Sa réplique fut interrompue par la sonnerie du téléphone.

— Nous n'en avons pas fini avec cette conversation, s'empressa-t-il de dire. Et n'en profitez pas pour essayer de filer à l'anglaise, Jane.

Cette nuit — cette unique nuit — avec lui, elle n'allait même pas y avoir droit, se dit Janc tandis qu'il traversait la cuisine d'un pas souple pour décrocher le téléphone dans le salon. Elle ne se faisait aucune illusion concernant ce qui l'attendait — une arrestation, un procès, suivi d'unc condamnation pour meurtre qui dépendrait d'un certain nombre de détails et d'éventuelles circonstances atténuantes. Durant ce long cauchemar, elle aurait voulu avoir quelque chose à quoi s'accrocher.

Hélas, à la dernièrc minutc, juste au moment où elle aurait eu besoin qu'il accepte ce qu'elle avait à lui offrir, Quinn s'était soudain transformé en ce preux chevalier dont rêvent toutes les femmes…

Penché sur le téléphone, il s'exprimait d'une voix sèche, mais si basse qu'elle ne percevait pas ses propos. Il passa une main lasse sur son front, et soudain, elle se rendit compte qu'elle possédait déjà ce dont elle avait besoin : des souvenirs — des souvenirs, et une quantité d'images pour la soutenir dans la longue traversée du désert qui l'attendait.

Plus tard, il lui suffirait de fermer les yeux pour voir un grand gaillard accoudé à une fenêtre, en train d'observer avec ferveur une poignée de moineaux s'installant pour la nuit. Elle pourrait se rappeler son expression quand il avait parlé de sa mère. Et jamais, jamais elle n'oublierait son sourire, ni la façon dont il l'avait embrassée — à deux reprises.

— Ils l'ont trouvée.

Jane ne l'avait pas vu raccrocher, mais soudain, il était devant elle, l'empoignant par les épaules. Ses traits étaient tendus, son regard, sombre.

— Ils l'ont trouvée, Jane, dit-il en plongeant son regard dans le sien. Ils l'ont arrêtée à la frontière canadienne. Elle essayait de quitter le pays munie d'un faux passeport.

Jane le fixa sans comprendre.

— Arrêtée… la frontière ? Mais de qui parlez-vous ?

Soudain, elle appliqua une main sur sa bouche.

— Non ! Quinn ? Vous voulez dire…, finit-elle par articuler.

Elle leva sur lui un regard incrédule.

— Jan Childs, dit-il, terminant sa phrase à sa place. Ils l'ont arrêtée il y a quelques heures. Ce qui signifie que vous n'êtes pas cette femme, ma belle !

8.

Le visage de maman était tout mouillé et il brillait. Et le truc qu'elle mettait sur ses cils faisait des cercles noirs autour de ses yeux, remarqua Petite Puce. Le verre de maman était plein à ras bord. C'était déjà la quatrième fois ce soir, que maman remplissait son verre.

Comme chaque fois qu'elle se sentait ainsi, maman s'était assise avec la photo du salaud sur ses genoux.

En fait, c'était la photo de papa. Mais parfois il était papa, et parfois il était ce « salaud ». S'il revenait un jour, Petite Puce avait l'intention de lui demander lequel de ces deux noms il préférait.

Les hommes aiment que leurs épouses soient belles, douces et délicates, disait toujours maman — et ceci était également valable pour les petites filles. Quand leur papa rentrait de l'usine après une journée de travail, les petites filles devaient être la jolie puce — le rayon de soleil — de leur papa, les attendre dans leur plus belle robe, leurs boucles blondes retenues par un joli nœud. Puis, tandis que papa buvait sa deuxième bière devant la télévision, les gentilles petites filles devaient aider leur maman à mettre la table.

Les petites filles n'étaient pas censées jouer au base-ball ou faire de la bicyclette dans la rue avec Joey et David ou se battre avec la grande qui était en cinquième et avait volé leur argent de poche. Ce n'était pas digne d'une jeune dame. Mais quoi qu'elle fît, elle n'arrivait jamais à être une dame. Et c'était pour cela que papa était parti. C'était maman qui le lui avait dit.

A présent, c'était exactement ce que maman était en train de lui répéter, les yeux exorbités et la bouche déformée par la colère tandis qu'assise sur le canapé, Petite Puce sentait son estomac se serrer.

« C'est ta faute s'il est parti ! Dès que tu es née, il ne supportait plus de rester à la maison. Petite Puce ? Petite idiote, oui. Petite égoïste ! Il est parti à cause de toi — pas à cause de moi. C'est toi qu'il a quittée, pas moi ! »

Le cœur battant, Jane se redressa d'un bond et écarquilla les yeux dans le noir. Où était-elle ? Soudain, Quinn fut là, à son côté. D'une main leste, il alluma la lampe de chevet et se pencha vers elle.

— Que se passe-t-il ? demanda-t-il d'une voix inquiète.

Désorientée, Jane balaya la pièce du regard. Puis, s'accoutumant peu à peu à la lumière, elle posa les yeux sur lui et secoua la tête comme pour évacuer les images qui continuaient de défiler dans son esprit.

— J'ai fait un mauvais rêve. Ce n'est rien.

Elle prit une profonde inspiration et se laissa retomber sur les oreillers. Elle commençait à se glisser sous les couvertures quand, d'un bond, elle se rassit.

— Mais ! C'est votre lit !

Baissant les yeux, elle examina d'un air stupéfait l'immense chemise dans laquelle elle nageait.

— Et cette chemise n'est pas à moi. Vous m'avez déshabillée ! Que s'est-il passé, Quinn ? demanda-t-elle d'une voix inquiète.

— Après vos œufs brouillés, et avant que le thé n'ait fini d'infuser, vous vous êtes endormie le nez dans votre assiette, résuma Quinn. Je vous ai portée jusqu'ici et je vous ai déshabillée. Ensuite, je vous ai fait l'amour et puis je vous ai mis une de mes vieilles chemises. C'était quoi, ce rêve ?

— C'était…

Relevant brusquement la tête, elle le toisa d'un air offusqué.

— J'espère que j'ai été à la hauteur !

Son ton était ironique.

— Un peu passive mais très docile, rétorqua Quinn. Moi, en revanche, je me suis montré très performant.

— Passive et docile ? grinça Jane, faussement indignée.

A vrai dire, elle n'était ni offusquée ni indignée. Elle ferma un peu les yeux comme si elle était lasse et continua de l'observer entre ses cils. Mais elle ne se sentait pas lasse non plus.

Plus tôt dans la soirée, oui, sans doute avait-elle ressenti une certaine lassitude — ou plutôt, anéantie par la vague d'émotions qui venaient de s'abattre sur elle, elle avait fini par s'effondrer. Depuis plusieurs semaines son système nerveux avait été mis à rude épreuve et la révélation concernant son identité avait achevé de la déstabiliser. C'était comme si elle avait soudain basculé les yeux ouverts dans un cauchemar sans fin. Après ce premier choc, le soulagement d'apprendre qu'elle n'était pas Jan Childs avait ensuite agi comme un déclencheur : son corps et son esprit avaient lâché prise. Elle s'était tout simplement endormie. Et les tensions ainsi accumulées avaient provoqué ce rêve désagréable.

Quoi qu'il en soit, elle avait dormi un bon moment déjà. Ce n'était donc pas de la fatigue que Jane ressentait à présent. Toutefois, elle se trouvait dans un lit inconnu — celui de Quinn. Elle portait une chemise d'homme — qui appartenait à Quinn.

Et malgré sa plaisanterie de tout à l'heure, l'idée qu'il l'ait déshabillée était elle aussi… *déstabilisante.*

Mais qui cherchait-elle à leurrer ? Jane espéra que la lumière tamisée de la lampe saurait dissimuler la rougeur qu'elle sentait à présent monter à ses joues. Se réveiller dans le lit de Quinn, dans ses vêtements, n'avait rien de déstabilisant. C'était purement… *érotique.* Elle sentait la caresse du coton sur sa peau. D'habitude, c'était l'homme assis à quelques centimètres d'elle qui portait cette chemise — un homme très, très viril, et très attirant.

— Je vous la donne si vous voulez, lança Quinn en l'observant d'un air amusé.

De manière inconsciente, cherchant à s'imprégner de son odeur — l'odeur de Quinn —, Jane avait resserré son poing autour du col de la grande chemise. Il avait raison. Elle aurait voulu la garder pour l'éternité et pouvoir y goûter à loisir son odeur de mâle. Comme prise en faute, elle s'empressa de ramener sa main sur le drap.

— Je ne vois pas ce que vous voulez dire, McGuire, répliqua-t-elle, baissant les yeux pour dissimuler son embarras.

Unique touche de couleur dans la pièce, un plaid de facture artisanale aux nuances chatoyantes de vert et de bleu recouvrait le lit. A ces tons se fondaient d'autres dégradés de rouge et le lainage avait la douceur du mohair.

— Vous mentez. Vous savez très bien de quoi je parle, et moi, je sais exactement à quoi vous pensez, corrigea Quinn. On est là, tous les deux, à se regarder en chiens de faïence et à faire semblant. Alors, maintenant, que fait-on ? demanda-t-il d'un ton soudain très sérieux.

Mais en levant les yeux, Jane vit la lueur de malice dans son regard.

— Je reconnais que je ne brille pas par mon courage, poursuivit-il. Mais vous non plus, ma belle. Heureusement que dans une salle de tir, nous allons droit au but, parce dans une chambre à coucher, nous aurions plutôt tendance à tergiverser.

— Peut-être devrions-nous nous mettre à l'épreuve, McGuire, répliqua Jane du même ton sérieux.

Elle fronça les sourcils.

— Des lâches et des menteurs, dites-vous ? Je me sens obligée de vous prendre au mot. Vérité ou défi ? annonça-t-elle.

Un mince sourire aux lèvres, il la fixait avec méfiance.

— Allons, McGuire.

Elle souriait aussi à présent. Mais il y avait de la provocation dans son regard.

— Même les paysans irlandais connaissent ce jeu. Si vous dites « vérité », je vous pose une question à laquelle devez répondre en toute franchise. Mais, étant donné que vous êtes un fieffé menteur, je vous conseille plutôt de choisir le défi. Vous devrez alors exécuter tout ce que je vous ordonnerai de faire.

— Vraiment ? ironisa Quinn.

S'appuyant sur ses deux coudes, il se renversa en arrière sur le lit et laissa son regard s'attarder sur elle.

— Je suppose que ces règles sont valables pour vous aussi, n'est-ce pas ? demanda-t-il.

— Normalement, oui.

Jane devina le piège qu'il cherchait à lui tendre.

— Mais là…, s'empressa-t-elle de dire.

Quinn l'interrompit.

— J'aime que les règles soient définies clairement à l'avance, dit-il d'une voix suave. Pour qu'un combat soit loyal, les deux parties doivent subir les mêmes contraintes. Mais j'y songe, on a le droit de faire des prisonniers ?

Incapable de détacher son regard de Quinn, Jane soupesait d'un air songeur la part d'ambiguïté manifeste de cette question. La vivacité qu'elle percevait sous l'apparente nonchalance de Quinn la fit soudain se sentir comme une souris qui aurait proposé au chat de jouer avec elle. Or, il ne s'agissait pas de n'importe quel chat, se dit-elle, avalant sa salive. C'était un gros, un très gros chat — un chat sauvage.

Que faire maintenant ? Aller plus loin ? Soudain, elle ne s'en sentait pas la force.

— Vous savez, je crois que j'accepterais volontiers cette tasse de thé à présent, prononça-t-elle d'une voix étouffée.

Rassurée de sentir la présence de son slip et de son soutien-gorge sous la chemise, elle repoussa vivement les couvertures de la main et glissa ses jambes hors du lit. Pour se rendre compte une seconde trop tard que ce n'était peut-être pas la meilleure des stratégies.

Elle venait de sentir la hanche ferme de Quinn pressée contre la sienne. Le poids de son buste tranquillement calé sur ses coudes repliés, il n'avait pas changé de position depuis qu'il s'était installé au pied du lit. Son visage était dans l'ombre, mais elle y décela l'éclat d'un sourire.

— Je vous mets au défi de rester sur ce lit, annonça-t-il.

Les pieds suspendus à un centimètre du sol, Jane se figea.

C'était elle qui avait commencé ce petit jeu. Et lorsqu'ils s'étaient embrassés, plus tôt dans la soirée, elle mourait d'envie d'aller plus loin. Alors, pourquoi cherchait-elle à s'enfuir à présent ? Qu'y avait-il de changé ?

Elle avait changé, songea Jane dans un éclair de lucidité. Ou plutôt, sa situation avait évolué. Quelques heures auparavant, elle était une femme sans passé ni avenir. Une femme qui pouvait se permettre certaines imprudences — et attraper au vol tout ce qui se présentait à elle, sans s'inquiéter des conséquences de son acte.

Mais elle n'était pas cette femme. Elle n'était pas Jan Childs. Et passer une seule nuit avec Quinn McGuire aurait signifié bien plus pour elle qu'une simple union charnelle. Elle avait besoin de savoir que pour lui aussi, cette expérience aurait une autre signification.

— Je relève le défi, McGuire.

Leurs regards se rivèrent l'un dans l'autre.

— A vous maintenant. Vérité, annonça-t-elle. Attention, vous n'avez pas le droit de mentir. Pourquoi ?

— Pourquoi quoi ?

Quinn n'avait pas bougé. Cependant, une certaine tension se dégageait de lui.

— Pourquoi voulez-vous que je reste sur ce lit ?

L'immobilité de Quinn se mua en rigidité. Lentement, il changea de position. S'appuyant sur un seul de ses coudes, il se tourna vers elle et posa alors une main sur sa cuisse. Avec lenteur, du bout des doigts, il y traça une ligne invisible jusqu'à son genou. Malgré l'innocence de ce geste, Jane se sentit aussi alanguie que s'il avait glissé ses doigts sous l'élastique de son slip pour les laisser explorer plus avant certaines zones plus secrètes de son intimité. Le cœur battant, elle vit les contours de la pièce se brouiller devant ses yeux. S'efforçant de contrôler le flot de sensations qui l'assaillaient, elle attendit en silence la réponse de Quinn.

— Parce que..., prononça Quinn, semblant chercher ses mots. Parce qu'à l'occasion de notre première rencontre, je me suis comporté comme un mufle et que vous ne vous êtes pas gênée pour me le faire savoir.

Un sourire amusé anima ses traits.

— J'étais votre dernier espoir, mais cela ne vous a pas empêchée de me remettre vertement à ma place.

Il s'interrompit.

— Je ne comprends pas, dit-elle, les sourcils froncés. C'est le fait que je vous aie renvoyé dans vos foyers qui vous a plu ?

— Non, rétorqua Quinn. J'étais d'autant plus furieux que je savais que vous aviez raison. C'est pourquoi je me suis tout de même imposé d'écouter votre histoire jusqu'au bout, avec la ferme intention de refuser votre offre et de retourner tranquillement à ma beuverie solitaire. Mais ensuite, rien n'a plus été pareil.

— Vous avez tout de même refusé de m'aider, protesta Jane. Vous m'avez laissée partir sans un mot !

— C'est vrai. Mais je savais déjà que j'étais fichu.

Il haussa les épaules.

— Au moment même où je me disais qu'une femme comme vous arriverait très bien à s'en sortir sans mon aide, j'ai perçu votre fragilité sous la carapace. Et…

Il ne l'admettrait sans doute jamais, mais elle aurait pu faire une description similaire de ce qu'elle avait ressenti le concernant. Il n'y avait rien dans sa personne, avait-il affirmé, qui ne se voie à la surface. C'était faux. Complètement faux. Car si Quinn McGuire n'avait été qu'un grand et bel Irlandais aux manières rudes, jamais elle ne se serait trouvée dans ce lit ce soir.

— Et à présent, j'ai envie que vous restiez là, près de moi, conclut-il d'une voix posée.

Du bout du doigt, il s'était remis à caresser sa cuisse.

— Maintenant, à vous de choisir, ma belle. Vérité ou défi ?

— Défi.

Jane avait répondu sans réfléchir, parce que réfléchir devenait de plus en plus difficile.

— Non… vérité, s'empressa-t-elle de rectifier, prenant soudain conscience de son erreur.

— Trop tard, répliqua Quinn.

Comme animés par une volonté qui leur était propre, les doigts de Quinn remontèrent lentement le long de sa cuisse. Puis, avec la même lenteur, ils redescendirent.

Il prit un air songeur et le gris de ses yeux s'assombrit.

— Je vous mets au défi de faire ce dont vous avez le plus envie à l'instant où je vous parle, déclara-t-il enfin, rivant son regard dans le sien. Quoi que ce soit, vous devez le faire.

Jane sentit un long frisson d'anticipation courir le long de sa colonne vertébrale.

— D'accord, parvint-elle à articuler après un instant d'hésitation. Levez-vous…

Un sourire narquois aux lèvres, Quinn se redressa lentement et s'assit au bord du lit. Puis, prenant tout son temps, il se mit sur ses pieds et resta là, les bras tranquillement le long du corps. Enfin, il pivota sur lui-même et lui fit face.

Le faisceau tamisé de la petite lampe avait égayé l'atmosphère austère de la chambre, réveillant la chaleur boisée des volets intérieurs et projetant de doux reflets sur les murs dénudés. Quinn baignait à présent dans l'unique flaque de lumière qui échappait au jeu d'ombres projetées au sol par l'abat-jour. On aurait dit que tout son être étincelait. Pendant un instant, même ses cheveux semblèrent irisés d'or.

Une lueur malicieuse brillait dans son regard. Toujours assise au bord du lit, Jane l'observa un moment. Puis, aussi lentement qu'il venait de le faire, elle se leva et fit un pas dans sa direction.

— Voici ce que j'ai envie de faire, McGuire.

Avec calme, elle approcha ses mains du col de sa chemise et en dégrafa le premier bouton. Puis, ses doigts descendirent un peu plus bas.

— Moi aussi je veux vous déshabiller, comme vous vous êtes permis de le faire tout à l'heure.

— Par pur souci d'égalité ? demanda Quinn à mi-voix.

Elle sentait son regard peser sur elle, mais demeura concentrée sur sa tâche.

— Pas seulement, répliqua-elle en libérant un deuxième bouton.

Sa main s'attarda un moment sur le triangle de peau hâlée à présent dénudé. Comme elle levait les yeux, elle vit que Quinn retenait son souffle.

— Il semble me souvenir que vous avez saccagé une de mes robes hier soir, dit-elle d'un ton vengeur. Vous ne m'en voudrez donc pas si cette chemise perd un ou deux de ses boutons ? Comme ceci ? ajouta-t-elle avec détachement.

D'un petit coup sec, elle tira sur le bouton suivant. Il y eut un léger bruit de déchirement et le petit disque de nacre sauta hors de sa boutonnière.

— Ou comme cela ?

Les yeux rivés dans les siens, elle arracha un deuxième bouton et la chemise se déchira un peu plus encore. Avec une certaine fascination, elle vit alors une petite veine gonfler sur le cou musclé. Il n'y avait aucun doute, son cœur battait plus vite que tout à l'heure. Tout en l'observant sous ses cils, elle appliqua ses deux paumes sur son torse.

— Vous avez un peu chaud, McGuire ? Vous supportez mal les températures élevées ?

— Jusqu'à présent, je croyais très bien les supporter.

Jane fit descendre ses mains jusqu'au prochain bouton. Quinn, au supplice, pressa ses paupières l'une contre l'autre.

— Vous allez réussir à me rendre fou avant d'en avoir fini avec cette chemise.

— J'y compte bien, répliqua-t-elle vivement. J'ai beaucoup apprécié votre remarque de tout à l'heure concernant ma *docilité*. A mon tour de tester la vôtre, McGuire.

— C'est drôle. Moi, c'est la partie concernant ma performance qui aurait plutôt tendance à me hanter.

Du bout des doigts, Jane caressa la peau ferme, tendue sur les abdominaux. Un long frisson parcourut Quinn.

— Je suis sur le fil du rasoir, gronda-t-il entre ses dents.

Jusque-là, ses bras reposaient toujours le long de son corps. Mais avant d'avoir achevé sa phrase, il les releva brusquement.

— Je rends les armes. Vous avez gagné cette manche, s'exclama-t-il d'une voix rauque en saisissant à deux mains les pans déchirés de sa chemise.

D'un geste brusque, il acheva en une fraction de seconde la tâche à laquelle elle s'attelait avec minutie et fit glisser la chemise jusqu'à ses hanches. Les deux bras prisonniers du tissu encore retenu par la ceinture de son jean, il la fixa alors d'un air provocant.

— C'est ce que vous vouliez, affirma-t-il.

Retenant son souffle, Jane resta un moment silencieuse. Un torse ferme et puissant, comme taillé dans la pierre, s'offrait à ses yeux. A chaque inspiration de Quinn, elle voyait la masse des muscles pectoraux se soulever imperceptiblement sous la peau hâlée. Ce n'était donc pas de la pierre qu'elle fixait avec une telle intensité. C'était vivant… et cela appartenait à Quinn McGuire. Révélées par le doux faisceau de la lampe, de minuscules perles de sueur accrochées à sa peau faisaient chatoyer les reflets d'une fine toison brune.

Dans cette position, Quinn faisait une proie idéale. S'abandonnant au fantasme qu'elle brûlait de satisfaire depuis un moment déjà, Jane se pencha lentement en avant et avec une délicatesse de félin, elle posa ses lèvres sur la peau lustrée.

— Mmm, laissa-t-elle échapper avant de revenir à la charge.

Soudain, les étreignant avec force, les mains de Quinn furent sur ses épaules.

— A mon tour de relever le défi, prononça-t-il d'une voix haletante. Voici ce que moi, en cet instant précis, j'ai très envie de faire…

Avant qu'elle n'ait le temps de réagir, deux mains robustes étaient descendues le long de ses hanches et se glissaient sous sa chemise. Elle sentit les paumes rugueuses se poser sur sa peau nue. Elle les sentit entourer entièrement sa taille pour se rejoindre dans son dos. Alors, comme si elle avait été une plume, Quinn la souleva de terre.

Stimulant chacune de ses terminaisons nerveuses, une vague de désir se répandit dans tout son corps. Le seul fait qu'un homme parvienne à vous soulever avec une telle aisance était… *excitant,* songea-t-elle dans un vertige.

Comme par réflexe, ses deux jambes s'enroulèrent autour de la taille de Quinn. Glissant une main sous ses fesses, il reporta le poids de son corps sur un seul de ses bras. Puis, appliquant d'autorité son autre main sur sa bouche, il approcha ses lèvres de son oreille.

— Nous allons changer les règles du jeu, mon ange. J'ai droit à un deuxième tour. Et vous allez me répondre franchement : dois-je m'arrêter ?

Elle sentait la chaleur de son souffle dans son cou.

— Non, parvint-elle à articuler, tandis que la langue de Quinn suivait langoureusement le contour délicat de son oreille.

— Je vous ai prévenue que j'allais tricher. La question est en deux parties. Vous n'avez pas le choix, vous devez répondre.

Il y avait une pointe d'impatience dans sa voix.

— Voulez-vous vraiment qu'on aille jusqu'au bout ? demanda-t-il.

Malgré ce qu'il venait de dire, elle se rendit compte qu'en réalité, il lui donnait le choix. Elle savait que s'il percevait la plus infime hésitation, la moindre crainte dans sa voix, la moindre inflexion qui lui rappellerait la femme apeurée d'hier soir, Quinn ferait marche arrière. Mais cette femme n'était plus et elle voulait qu'il le sache.

Les deux bras enroulés autour de son cou puissant, alanguie, elle s'était laissée aller contre son torse. Elle ouvrit les yeux, se redressa et plongea son regard dans le sien.

— Oui, Quinn. Je veux aller jusqu'au bout avec vous, dit-elle d'une voix douce.

Puis, ramenant les mains sur son buste, un à un, elle commença à défaire les boutons de sa propre chemise. A mesure que celle-ci s'écartait sur sa poitrine, Jane sentait la chaleur de Quinn contre sa peau dénudée.

Comme elle ouvrait en grand les pans du vêtement, elle vit le regard de Quinn vaciller. Sa nudité n'était plus dissimulée que par la seule dentelle de son soutien-gorge et, plus bas, de son slip. La main de Quinn descendit le long de sa gorge. Lentement, il fit glisser une fine bretelle de son épaule, puis l'autre.

— Je commence par là, alors, dit-il, avec un accent plus prononcé que jamais.

Sa voix était un peu rauque.

— Ensuite, je ne m'arrêterai plus.

Il inclina la tête et soudain, sa bouche fut sur elle, cherchant la pointe durcie d'un sein, s'ouvrant grande pour prendre en une fois toute la douceur offerte. Ses doigts s'enchevêtrant dans les courts cheveux de son compagnon, Jane se cambra. Elle sentit une vague de chaleur se diffuser dans tout son corps. Chaque parcelle de son être devint brûlante comme si elle se tenait à quelques centimètres d'un feu dont les flammes avaient commencé à rougir sa peau. Quinn la soutenait toujours d'une seule main. De l'autre, il entourait son sein, en caressant la pointe avec son pouce. Il releva un peu la tête, juste assez pour qu'elle l'entende chuchoter :

— J'avais raison. Ils sont comme des fraises sauvages. Doux, sucrés et mûrs comme des fraises des bois en été.

Avec sa langue, il en contourna la pointe dressée.

— Vous avez envie de moi, McGuire ?

Bien qu'elle la connût déjà, elle brûlait d'entendre la réponse magique prononcée par cette voix chaude et rauque. Son regard rencontra celui de Quinn et la lueur au fond des yeux gris lui dit qu'il savait exactement pourquoi elle avait posé cette question.

— Tu aimerais l'entendre de ma bouche ?

La pointe de moquerie dans sa voix fut encore accentuée par l'abandon spontané qu'il venait de faire du vouvoiement.

Jane hocha la tête.

— Je m'efforcerai de m'en souvenir, dit-il avec un mince sourire. Oui, je te désire. J'ai envie de toi. Je brûle de voir ton corps abandonné sur mes draps, ta tête rejetée en arrière, de t'entendre murmurer à mon oreille ce que tu veux que je fasse et m'efforcer de te satisfaire. Etes-vous satisfaite, mademoiselle ?

— Encore une question, souffla Jane. Est-ce que tous les Irlandais sont aussi bavards que… toi ?

— Oui, répliqua-il sans une once d'hésitation. C'est ce don que nous avons de parler et d'agir en même temps qui fait que nos femmes parviennent à nous supporter.

Comme pour en faire la démonstration, la bouche toujours contre son oreille, il la déposa sur le lit, dégrafa d'une main son soutien-gorge et fit glisser la grande chemise jusqu'à ses reins. Puis, se redressant, il se débarrassa de la sienne d'un coup d'épaule et approcha les mains de la ceinture de son jean.

— Non, dit Jane. Laisse-moi faire.

Lentement, elle s'agenouilla sur le lit, la douceur du mohair caressant ses jambes nues. Elle sentait le regard de Quinn posé sur elle. Quand elle approcha ses doigts de la fermeture Eclair, elle l'entendit gémir doucement.

— Tu veux vraiment me rendre fou ? grogna-t-il en exagérant sciemment son accent irlandais.

Même en cet instant, il parvenait à la faire rire, et Jane dut se mordre la lèvre pour garder son sérieux. Un sourire malicieux aux lèvres, Quinn baissa les yeux sur elle.

— J'ai l'impression d'avoir quinze ans et que c'est la première fois, prononça-t-il de cette voix de velours qui avait le don de la faire fondre.

Jane sentit alors son cœur chavirer dans sa poitrine. Quinn McGuire était le genre d'hommes dont on doit tomber amoureuse tout en sachant que c'est la dernière chose à faire. Et elle semblait en prendre le chemin, songea-t-elle, frémissante. Elle contempla un moment le torse musclé, les larges épaules, comme lustrés de paillettes d'or. Projetées par les grands cils noirs, de douces ombres se dessinaient sur les traits acérés. En réalité, elle avait déjà à demi succombé, dut-elle reconnaître à contrecœur. Et sa course folle ne faisait que s'accélérer. Etait-ce raisonnable ?

Ce n'était pas raisonnable du tout. Et cela lui était égal. Oui vraiment, ils formaient un beau couple — lui, nerveux comme un adolescent vivant sa première expérience et elle, transfigurée par lui en femme fatale, habile au point de lui faire perdre la tête avant même de l'avoir touché.

Comme ceci ? dit-elle en faisant glisser la fermeture Eclair.

— Exactement comme ceci, répondit Quinn de cette voix qui avait le don de la faire chavirer.

Ses doigts se glissèrent sous l'élastique du caleçon blanc qu'il portait sous son jean.

— Les deux en même temps, Quinn ? demanda-t-elle tout en continuant de l'observer sous ses cils.

— Oui. Si tu continues à me regarder ainsi, il vaudrait mieux ne pas perdre de temps, grinça-t-il entre ses dents.

Son visage anguleux n'exprimait aucune émotion, remarqua-t-elle. Se demandant quelle dose d'effort cela lui coûtait, elle décida d'en avoir le cœur net.

Penchée en avant, elle fit alors glisser l'élastique d'un centimètre. Puis, les yeux fermés, elle posa les lèvres sur ce qui venait d'être dévoilé. Aussitôt, les mains de Quinn étreignirent ses épaules et Jane le sentit tressaillir.

— Si tu continues à improviser de la sorte, je crains de perdre complètement le contrôle, prononça-t-il avec difficulté.

— Cela m'étonne de ta part, McGuire, répliqua-t-elle d'un ton mi-moqueur, mi-désappointé.

D'un coup sec, elle abaissa l'élastique et considéra ce qui se trouvait devant ses yeux.

C'était… c'était fabuleux, songea-t-elle, comme étourdie. La fine ligne brune qui courait le long de son torse s'épanouissait ici en une riche toison et ce qui en jaillissait, compressé par la toile épaisse du jean était… aussi impressionnant que le reste de sa personne, pensa Jane, et non moins séduisant. Sans même en prendre conscience, du bout du doigt, elle en suivit la courbe jusqu'à la base.

— Pitié, haleta Quinn. Je vais finir de me déshabiller moi-même.

D'une main impatiente il fit glisser son jean jusqu'à ses chevilles, s'en débarrassa d'un simple mouvement du pied, puis Jane le vit s'approcher du lit.

— Maintenant, c'est à ton tour de souffrir un peu, annonça-t-il d'une voix suave.

Tout ce que Jane eut alors à faire, ce fut de se laisser aller. De se laisser submerger par les vagues de sensations délicieuses qui venaient l'assaillir. Elle sentit la bouche de Quinn sur sa cheville. Puis, lentement, elle la sentit remonter le long de sa jambe, se glisser à l'arrière de son genou, là où la peau est si tendre. Un petit gémissement de plaisir franchit ses lèvres.

Ensuite, la bouche de Quinn remonta plus haut encore. Ses mains se posèrent sur ses jambes pour les écarter légèrement et elle sentit sa langue sur l'intérieur de sa cuisse. Froissant le mohair entre ses poings serrés, elle se sentit fondre de plaisir.

— C'est comme je l'avais rêvé. Toi, abandonnée sous mes caresses, tes cheveux épars sur mes draps. A présent, dis-moi ce que tu veux que je fasse…

Avec douceur, il lui souleva les hanches. Puis, glissant un doigt sous la dentelle de son slip, il le fit glisser le long de ses cuisses.

— Je veux que tu me fasses l'amour, McGuire, souffla Jane, sentant monter en elle un désir lourd, pesant.

De nouveau, elle vit le sang battre un peu plus vite à son cou.

— Nous sommes arrivés au point de non-retour, ma belle. Si tu as le moindre doute, la moindre hésitation, il est encore temps de le dire.

Comme elle, il était près de perdre le contrôle, remarqua-t-elle. Pourtant, il cherchait encore à s'assurer qu'elle n'aurait pas de regrets. Quinn n'était pas seulement beau, grand et séduisant. Il était bien plus que cela…

— Je ne m'étais pas trompée, dit-elle d'une voix douce. Dès que je t'ai vu, j'ai su que tu étais un homme bien. Non, Quinn, je n'ai aucune hésitation. Aucune envie de faire marche arrière.

Les lèvres entrouvertes, du bout du doigt, elle effleura sa bouche.

— Mais c'est peut-être la première fois pour moi. Je n'en sais rien. Je suis peut-être vierge et peut-être que toi, tu as des doutes ?

Saisissant son poignet, il y appliqua ses lèvres.

— Cette perspective pourrait en faire fuir plus d'un. Mais quoi que tu aies pu faire par le passé, en ce qui me concerne, tu *es* vierge. Car ce soir, ce sera la première fois — la première fois que moi, je serai en toi.

Il se pencha vers elle et sa phrase s'acheva dans un murmure tandis qu'il enroulait un bras autour de sa taille pour l'amener à lui et couvrait sa bouche avec la sienne. Elle sentit sa langue, dure et impatiente, chercher la sienne, tandis que sa virilité se pressait contre son ventre.

A pleine bouche, elle goûtait la saveur de Quinn — il avait un goût sauvage, un goût de sel et de soleil. Soudain, elle sut qu'elle ne pouvait attendre plus longtemps. S'arrachant à son baiser, elle le regarda dans les yeux.

— Cette première nuit d'amour, donne-la-moi, maintenant, dit-elle dans un souffle.

— Pour moi aussi, c'est la première fois, répondit Quinn. Rien avant cela n'a existé, ajouta-t-il d'une voix presque inaudible.

Sans la quitter des yeux, il tendit la main vers le tiroir de la table de chevet, en sortit un petit sachet scellé qu'il déchira du bout des dents. Puis, un mince sourire aux lèvres, il fit glisser le préservatif hors de l'étui et l'enfila d'une main experte.

Sa bouche revint sur la sienne. Mais cette fois, glissant ses deux mains sous ses hanches, il s'arc-bouta, et avec douceur, commença à la pénétrer. Ses cuisses s'écartant un peu plus, ses ongles s'incrustant plus profondément dans les larges épaules, Jane sentit qu'elle s'ouvrait à lui.

Soudain prise de panique, elle sentit un feu s'allumer en elle. Puis, le feu s'embrasa et se transforma en incendie.

Les bras tendus, les muscles des épaules bandés, Quinn l'observait avec intensité. Elle vit une ombre inquiète traverser son regard et secoua la tête. La pièce se mit alors à tourner autour d'elle.

— Non, ne t'arrête pas, souffla-t-elle pour le rassurer.

Il s'enfonça plus profondément en elle, puis, d'un mouvement de hanches, se retira légèrement pour mieux revenir et la combler de nouveau. Elle eut alors l'impression qu'elle était l'écrin — l'écrin parfait conçu pour lui et aucun autre. Il avait raison, songea-t-elle dans un vertige. Rien avant cela ne comptait. A chaque nouveau coup de reins, il la faisait plus pleinement sienne. Et chaque fois, le retenant en elle, retardant le moment où, comme une vague dans l'océan, il se retirerait pour mieux revenir, elle aussi le faisait sien.

Inlassablement, ses hanches se soulevaient à sa rencontre. Ses bras se tendaient pour retenir les solides épaules tandis que la bouche de Quinn ne lâchait pas ses lèvres.

— Maintenant, laisse-moi venir en toi, supplia-t-il soudain d'une voix rauque.

Incapable d'articuler un mot, Jane ouvrit les yeux et chercha son regard. Braqué sur elle, il était lointain, comme égaré — le reflet exact du sien, songea-t-elle, enfonçant ses ongles dans la chair de ses épaules. Quinn poussa un gémissement et cet incroyable sourire, plus séduisant, plus sexy qu'aucun autre, éclaira soudain son visage.

Il avait approché sa bouche de son oreille et y murmurait des mots qui réveillaient tous ses fantasmes.

Dans un rythme de plus en plus frénétique, leurs deux corps ne faisaient plus qu'un. Jane sentit un tourbillon de sensations l'envahir — celle de Quinn à l'intérieur d'elle, celle de sa bouche sur la sienne, celle de sa voix rocailleuse, aux accents terriblement érotiques, qui l'enveloppait tout entière.

Soudain, elle eut l'impression de s'élever dans les airs.

Chassant la nuit noire sous ses paupières closes, des milliers d'étoiles venues de très loin explosèrent en un étrange feu d'artifice. Elle crut même entendre résonner dans sa tête leur chant pareil au chant mythique des sirènes. Désorientée, elle s'accrocha à Quinn.

Plus proche encore que tout à l'heure, sa voix résonna de nouveau à son oreille et elle cessa alors de se sentir perdue.

— Il fait si froid… et noir là-bas, mon ange. Ramène-moi en toi. Laisse-moi venir en toi, ajouta-t-il dans un souffle.

Fulgurante, une traînée de lumière traversa la nuit. Jane sentit l'étreinte puissante des mains de Quinn se resserrer sur elle, l'empêchant presque de respirer. Mais avait-elle encore besoin de respirer ? Comblée, elle n'avait plus besoin de rien. Enroulant ses bras autour de lui, de toutes ses forces, elle le serra contre elle comme pour ne plus jamais le laisser repartir.

Puis, tout à coup, les étoiles s'évanouirent. Serrée entre les bras de Quinn, Jane bascula de nouveau dans la nuit…

Quand elle se réveilla, l'obscurité autour d'elle n'était plus éclairée que par la douce lueur de la lampe.

A un centimètre de son visage, les cils épais et noirs reposaient encore sur les pommettes hautes. Mais au moment où elle posa son regard sur lui, Quinn ouvrit les yeux. Des reflets argentés y brillaient. Il émit un long et profond soupir. Puis, approchant sa main de son visage, il repoussa une mèche de cheveux collée sur son front.

— Ce doit être cela, le paradis, mon ange, prononça-t-il d'une voix douce. Jamais je n'aurais pensé qu'on me laissât un jour y pénétrer.

9.

Il dormait sur le ventre et avait une nette tendance à s'étaler dans le lit, un bras toujours posé en travers de son corps pour mieux la sentir contre lui. Voici ce qu'elle avait eu le temps d'observer trois jours et trois nuits durant — trois jours et trois nuits sans presque jamais quitter la chambre de Quinn et encore moins son appartement.

Jane sortit de la salle de bains, une serviette à la main. Tout en finissant de s'essuyer les jambes, elle posa son regard sur lui.

Il dormait. Après la nuit quasi blanche qu'ils venaient de passer, il avait sûrement besoin de récupérer, se dit-elle, un sourire aux lèvres. Quel homme insatiable ! Ou était-ce elle qui devenait insatiable à son contact ? Quoi qu'il en soit, aucun d'eux ne semblait pouvoir se résoudre à quitter les bras de l'autre. Après leurs premiers ébats amoureux, elle s'était endormie serrée contre lui. Lorsqu'elle s'était réveillée, il faisait encore nuit et sans un mot, ils avaient recommencé. De nouveau, leurs corps s'étaient enlacés. Leurs mains agrippées comme celles de deux promeneurs dans une forêt enchantée, leurs bouches s'étaient cherchées dans le noir. La première fois avait été… un éblouissement. Jane ne put réprimer un sourire amusé au souvenir de l'arrogance taquine de Quinn. Mais la deuxième — la deuxième s'était révélée encore plus extraordinaire. Et ensuite, chaque nouvelle étreinte s'était construite sur les fondations de la précédente.

Elle avait cherché un garde du corps et elle avait trouvé... l'amour !

Mais il était encore trop tôt pour le dire. Elle n'avait aucune certitude concernant les sentiments de Quinn. Bien sûr, il la désirait. Même hors de la chambre, il n'avait de cesse de la toucher, de la serrer contre lui ou d'enrouler son bras autour de sa taille à la moindre occasion. Quinn semblait heureux d'être simplement assis auprès d'elle, de discuter avec elle. Il lui avait parlé de son enfance en Irlande, de sa mère. Eludant les années de bouleversement émotionnel qui, fatalement, avaient dû suivre son décès, il avait plus volontiers mis l'accent sur ses escapades d'adolescent et ses aventures de jeunesse.

Quinn lui avait aussi parlé de sœur Bertille. Une ombre était passée dans ses yeux quand il avait mentionné la lettre l'informant de son décès. Jane avait alors senti qu'il lui dissimulait quelque chose concernant ce courrier. Toutefois, elle n'avait pas insisté pour en savoir plus. La religieuse semblait avoir beaucoup compté pour lui et la blessure provoquée par sa disparition était encore fraîche. Pourquoi remuer le couteau dans la plaie alors qu'il lui ouvrait déjà si largement son cœur ?

Le seul sujet qu'il refusait d'aborder de manière catégorique, c'était celui dont Sully lui avait parlé à demi-mot. Elle avait fini par en conclure que Terry Sullivan en avait exagéré l'importance. Après tout, quel qu'en fût le contenu, cette histoire d'oies sauvages n'était... qu'une simple légende, ainsi que l'avait déclaré Quinn. Une légende qui ne méritait pas qu'on s'y attardât.

Elle aurait tant voulu partager elle aussi un peu de son passé avec lui, mais hélas, sa mémoire n'était encore qu'un grand trou noir.

Tout en amenant la serviette à ses cheveux, Jane se mordit la lèvre inférieure. Ce n'était pas tout à fait vrai. Par deux fois, elle avait fait ce même rêve avec cette petite fille triste. Et elle commençait à comprendre que cette « Petite Puce » n'était autre qu'elle-même…

Dans son rêve, la mère, outrageusement maquillée et affublée de fanfreluches, ressemblait à ces femmes qui ne peuvent se passer d'un homme. Une femme apparemment brisée par la perte de ce mari dont elle avait fait le pilier de son existence, et brisée au point d'en reporter toute la faute et la culpabilité sur sa fille à qui elle reprochait amèrement le départ de son père. De *mon* père, songea Jane avec colère. Cette femme, donc, n'avait eu de cesse de trouver un homme pour remplacer son mari absent, même si cet homme avait un net penchant pour l'alcool et la violence.

Mais il n'était pas le seul homme avec lequel sa mère avait vécu après le départ de son père. Il y en avait eu de nombreux autres — si nombreux qu'il était impossible de se souvenir de chacun d'eux. Si elle se souvenait de celui-là, c'était uniquement à cause de Garnet.

— Tu ne te sens pas bien, mon ange ?

De manière inconsciente, un petit cri avait franchi ses lèvres. Elle releva la tête brusquement et regarda Quinn. Elle l'avait cru endormi, mais il avait les yeux grands ouverts à présent et la vivacité de son regard lui indiqua qu'elle s'était trompée.

— Une autre partie de mon enfance vient de me revenir, énonça-t-elle à voix lente. Je crois avoir retrouvé le prénom de mon demi-frère.

Les jambes flageolantes, elle traversa la pièce et vint s'asseoir lourdement au bord du lit. Elle avait besoin du contact de Quinn. S'adossant aux oreillers, il enroula un bras autour de sa taille et l'attira à lui. Jane se laissa aller contre la poitrine musclée et s'imprégna tout entière de l'odeur rassurante de sa peau. Et de manière étrange, elle se sentit aussitôt en sécurité.

— Tu parles du petit garçon que tu t'efforçais de protéger ? demanda Quinn d'une voix douce. C'était ton demi-frère ?

— Il s'appelait Garnet Vogel. Son père a vécu un moment avec ma mère, dit-elle d'une voix caverneuse. C'est cet homme que j'ai frappé avec une batte de base-ball. Il passait son temps à battre son fils. Je revois encore le pauvre dos de Garnet.

Jane frissonna. Elle sentit soudain les muscles de Quinn se raidir et leva les yeux.

— Je suis désolé, dit-il en faisant un effort visible sur lui-même pour relâcher l'étreinte exagérée de ses mains. Mais les hommes qui frappent des femmes ou des enfants…

S'interrompant, il contracta les mâchoires et prit une profonde inspiration.

— Il avait des marques sur le dos ?

— Il était bardé d'affreuses cicatrices, répondit Jane, le regard assombri par la pitié. Aujourd'hui encore, il doit en porter les stigmates. Lui et son père ont vécu avec nous durant presque un an avant que ma mère ne réagisse et ne quitte ce type. Je m'en souviens maintenant. Elle aussi s'était mise à boire. L'atmosphère était intenable pour deux enfants, bredouilla-t-elle. Garnet et moi essayions de nous protéger mutuellement. Nous étions tout l'un pour l'autre.

— Et ton propre père, où était-il ? demanda Quinn, les sourcils froncés.

Elle ne lui avait pas encore raconté ses derniers rêves. Une poignée de mauvais souvenirs pour résumer une vie, c'était peu, se dit-elle avec amertume après lui en avoir exposé brièvement le contenu.

Quinn l'observait avec insistance. Comme souvent, son expression était indéchiffrable.

— Tu n'as guère été encouragée à t'exprimer durant cette période, ni à te défendre, dit-il enfin. Je comprends mieux à présent. Cela ne te fait pas penser à quelque chose ?

Elle le fixa un moment sans comprendre.

— Ta culpabilité, reprit-il. Et la façon étrange dont tu te comportes parfois, comme si tu étais soudain une petite fille.

Lentement, la lumière se fit dans son esprit.

— Tu veux dire que le traumatisme crânien aurait provoqué… une régression psychique ? prononça Jane d'une voix blanche.

Comme détachée de son corps, elle remarqua qu'elle tremblait de tous ses membres.

— Après l'accident, je serais redevenue la petite fille apeurée et obéissante de sa maman. La Petite Puce.

Son regard croisa celui de Quinn.

— Je ne me souviens pas d'elle utilisant un autre mot pour s'adresser à moi que cette expression un peu ridicule.

— Elle aurait beaucoup à se faire pardonner, j'en conviens, répondit Quinn d'une voix posée. Mais si elle était alcoolique et plutôt attirée par des hommes abusifs, peut-être a-t-elle déjà chèrement payé ses erreurs. Ce qui compte, c'est qu'au cours de ces dernières années, toi, tu aies réussi à quitter la peau de cette petite fille. Tu es devenue forte, mon ange. Tu t'es extirpée de ton milieu, tu as pris des leçons de tir et tu es devenue un genre de *Calamity…* Jane.

Jane sourit malgré elle de sa boutade.

— Tu as raison. Je me suis sans doute efforcée de prendre ma revanche à tout prix.

De nouveau, son regard s'assombrit.

— Mais pour me ramener ainsi à l'enfant que j'étais, il a fallu que le traumatisme soit de taille. Je détestais ce rôle de petite fille modèle — je ne m'y pliais que parce que je me rendais responsable du départ de mon père. C'était la seule façon de me racheter. Je me sentais si coupable !

— Il peut y avoir une infinité de raisons pour que tu aies choisi de réintégrer ce personnage, commença Quinn.

Soudain, il la sentit se figer entre ses bras.

— C'est cela, donc… ce sentiment de culpabilité. Au fond de moi, je savais que j'avais fait quelque chose de terrible — quelque chose qui paralysait ma mémoire. Mais je pensais que c'était de la femme, et de ses actes, que je refusais de me souvenir.

S'arrachant à son étreinte, elle s'assit au bord du lit et resserra la ceinture de son peignoir de bain.

— Le fait que je sois Jan Childs aurait pu expliquer ce blocage.

— Oui, mais ce n'est pas le cas, rétorqua Quinn. Tu n'as tué personne et tu n'as aucun crime atroce à te reprocher. Pour perdre ainsi la mémoire, c'est plutôt toi qui as dû subir quelque chose de terrible.

— « *Je sais ce que tu as fait.* » Le problème, c'est que ta version ne prend pas en compte cette partie du message, Quinn.

Elle secoua la tête.

— J'aurais voulu rester ici, avec toi, et faire comme si je pouvais continuer à avancer même si je ne recouvrais pas la mémoire. Mais c'est impossible.

De manière impulsive, elle chercha sa main.

— Toi au moins, ajouta-t-elle, tu as un passé, tu as un avenir. Alors que moi… qu'adviendra-t-il si nous décidons de faire notre vie ensemble et…

Elle se sentit rougir mais s'obligea à poursuivre.

— Personne ne sait ce qui va se passer entre nous, Quinn. Mais d'ici à deux semaines, à deux ans peut-être, la police peut très bien surgir à ma porte avec un mandat d'arrêt. Tant que je ne saurai pas ce que j'essaie de fuir, je ne pourrai rien construire.

— L'avenir, prononça Quinn en pressant sa main jusqu'à la limite de la douleur. Rien ne peut garantir que nous en ayons un, ni l'un ni l'autre. Tout ce que nous pouvons faire, c'est de profiter de l'instant présent. Mais cette perspective ne semble pas te suffire.

— C'est si difficile à comprendre ? s'écria-t-elle, alertée par le pessimisme de ses propos. Je ne suis pas une gamine, Quinn, je sais qu'on ne peut jamais rien garantir. Mais cela n'empêche pas les gens d'avoir des rêves, d'échafauder des projets. On a tous le *droit* d'espérer, non ?

— Oui, je suppose que c'est vrai pour la plupart des gens. Toi, en tout cas, tu y as droit.

Il soutint son regard un court instant, puis poussa un soupir.

— Tu veux qu'on remette le nez dans les dossiers de Sully ? offrit-il d'un ton las.

— Il y en a tant et les descriptions sont si vagues, les photos floues ou trop anciennes. Ces recherches ne mènent nulle part, répondit-elle en haussant les épaules.

Machinalement, elle saisit un des plis de la couverture en mohair qu'elle replia sur lui-même en forme d'éventail.

— Je me demandais d'où provenait ce plaid, déclara-t-elle soudain d'un ton anodin. Il est splendide. On dirait un tartan écossais. On aurait pensé que toutes ces couleurs jureraient ensemble, mais pas du tout.

Evitant son regard, elle continua d'étudier l'enchevêtrement des rouges, des verts et des bleus sur le mohair. Quinn poussa un soupir exaspéré.

— C'est le tartan des McGuire. C'est irlandais, bien sûr. Rouge comme le sang, bleu comme le ciel et vert comme l'herbe de mon pays. Mais cesse de détourner la conversation. Dis-moi ce que tu as sur le cœur.

— Tu promets de m'écouter jusqu'au bout ? demanda-t-elle d'une petite voix inquiète.

De nouveau, elle se comportait comme la Petite Puce, songea-t-elle avec agacement. Elle cessa de jouer avec le plaid et le regarda dans les yeux.

— Je sais que mon idée va te déplaire. Mais ma seule chance de m'en sortir, c'est de découvrir l'identité de mon agresseur. Et je suis prête à servir d'appât pour le piéger.

— Oublie ce plan, rétorqua Quinn.

— Mais il n'y en a pas d'autre, Quinn ! répliqua Jane d'une voix ferme. Nous devons regarder les choses en face. Ce type est la seule personne à savoir qui je suis.

— Ce qu'il affirme haut et fort n'est peut-être que le fruit d'un esprit dérangé, renchérit-il. Il est possible que ce type ne sache rien de ton passé.

— Je n'y crois pas une seconde.

Le visage blanc comme un linge, elle le fixait avec une détermination farouche.

— Ce double message effrayerait n'importe qui, dit Quinn en secouant la tête. Tout le monde a un secret qu'il souhaite dissimuler. Tout le monde se sent coupable de quelque chose concernant son passé, crois-moi.

— Te croire ?

Son regard se fit plus intense encore.

— Pourquoi ? Tu parles de ton expérience personnelle ?

— Non. Je parle de manière générale.

Sautant hors du lit, Quinn s'empara de son jean abandonné sur le dossier d'une chaise et y glissa l'une après l'autre ses grandes jambes musclées avant de le remonter vivement sur ses hanches sans prendre la peine de le boutonner.

Jane sentit une chaleur familière monter à ses joues. Elle aurait déjà dû s'habituer à le voir évoluer dans la pièce à demi nu. Mais hélas, ce n'était pas le cas et il se montrait vraiment déloyal à parader ainsi, le jean ouvert, devant elle. Plissant les paupières, elle le toisa du regard.

— Tu n'es qu'un vil tricheur, McGuire. Utiliser ainsi ton corps pour gagner une bataille. Tu devrais avoir honte !

A son tour, elle se leva et relâcha la ceinture de son peignoir en éponge, dévoilant sa peau encore humide. Puis, se dirigeant vers la commode de bois blanc, elle s'empara du peigne à larges dents qui se trouvait sur son plateau. Debout devant le miroir, sachant qu'il voyait son reflet dans la glace, avec lenteur, elle passa le peigne dans ses cheveux mouillés.

Quinn l'observait du coin de l'œil. Ses seins suivant doucement le mouvement gracieux de ses bras, Jane entreprit de démêler un premier nœud.

— Je ne savais pas qu'il y avait bataille, répliqua-t-il.

Se postant derrière elle, il glissa alors ses mains de chaque côté de son buste et les referma sur ses seins. Leurs regards se croisèrent dans le miroir et elle ne put retenir plus longtemps le rire jusque-là réprimé. Le menton calé sur son épaule, Quinn sourit à l'adresse du miroir.

— J'ai craqué le premier. Il fallait que je les touche, dit-il avec une petite grimace. Un vil tricheur, sans aucune volonté. Je ne sais pas comment tu arrives à me supporter !

— Je dois dire que dans une chambre à coucher, le manque de volonté ne me dérange pas trop, McGuire.

Levant les bras, elle enroula ses doigts autour de la nuque de Quinn.

— Et j'adore quand tu triches, ajouta-t-elle.

— Que veux-tu, la partie était serrée…

Reprenant soudain son sérieux, Quinn s'interrompit et fronça les sourcils.

— Tu sais que je n'accepterai jamais de t'utiliser comme appât pour attirer ce maniaque. Si tu veux le faire sortir du bois, il faudra trouver un autre stratagème.

— Je n'en vois aucun autre, Quinn.

Laissant retomber ses bras, elle se retourna et leva vers lui un regard sombre.

— Il a dû me chercher partout et à l'heure qu'il est, il est sans doute à bout. Si je réapparaissais soudain, il se pourrait qu'il commette une imprudence, qu'il fasse un faux pas.

— Oui. Comme de passer à l'acte et de te tuer, par exemple…

La mâchoire de Quinn se contracta.

— Je veux bien t'aider à le piéger de n'importe quelle autre manière, mais pas ainsi. C'est trop risqué.

Elle avait essayé, songea-t-elle, découragée. Mais elle savait à l'avance que c'était peine perdue. Impassible, le regard de Quinn s'était fait aussi dur que lors de leur première rencontre. Il ne restait plus trace de l'homme qui avait si bien su la taquiner, lui faire l'amour, rire avec elle durant ces quelques journées. Quinn ne céderait pas. En fait, en dehors de son intervention auprès de Sullivan pour qu'il mît ses dossiers à leur disposition, jusque-là, il n'avait montré aucun enthousiasme réel à rechercher qui elle était. Apparemment, sa seule priorité avait été de la protéger — ce qui était compréhensible, admit-elle à contrecœur.

Déçue, elle se détourna de lui avec un soupir résigné.

— Tu pourrais contacter l'inspecteur Fitzgerald et lui demander si leurs recherches ont avancé, dit-elle en haussant les épaules.

— Je l'ai déjà fait. Ils n'ont rien trouvé.

— Nous voilà donc devant une impasse. La seule chose qu'on puisse faire, c'est de passer une nouvelle fois en revue les dossiers de Sullivan, puisque tu sembles si opposé à…

La sonnerie du téléphone retentit dans l'autre pièce. Frustrée, elle pinça les lèvres.

— Le répondeur va se déclencher, dit Quinn d'un ton sec tandis qu'une deuxième sonnerie résonnait dans le silence. Ecoute. Je ne cherche pas à jouer au petit chef, reprit-il d'une voix radoucie. Mais il y a quatre jours à peine, je t'ai vue, moi, pendue à ce tuyau, à moitié morte, tu comprends ?

Pour la troisième fois, une sonnerie stridente interrompit leur dialogue. Agacé, Quinn attendit qu'elle cesse.

— Je n'arrive toujours pas à évacuer cette image de mon esprit, et si tu crois…

De nouveau, il s'interrompit et tourna la tête en direction du téléphone.

— Tu as dû oublier de brancher le répondeur. Tu ferais mieux d'aller répondre, dit Jane.

Voyant qu'il hésitait, elle insista.

— Vas-y, Quinn. Je sais que tu ne peux pas consentir à ce plan, dit-elle avec un soupir résigné. Mais après ces semaines de persécution, j'ai eu envie de passer à l'offensive au lieu de rester là à attendre qu'il frappe de nouveau. C'était idiot, je l'admets.

— Ce n'est pas idiot. Mais c'est trop risqué, voilà tout. On trouvera autre chose… Je reviens. Je vais répondre.

L'air soucieux, Quinn traversa la pièce en quelques enjambées et s'empara du combiné d'un geste brusque.

Jane l'observait depuis la porte de la chambre. Sa colère contre lui était déjà retombée. Malgré la stupide obstination de Quinn, elle ne parvenait pas à lui en vouloir. Pourtant, elle savait qu'elle avait raison. Pourquoi, lui qui la comprenait si bien la plupart du temps, ne parvenait-il pas à admettre qu'elle était dans le vrai ?

— Quand a-t-elle appelé ?

L'arrachant à ses pensées, le ton acerbe de Quinn lui fit brusquement relever la tête.

— Elle a eu le temps d'apercevoir son visage ? Oui, c'est aussi ce que je pense, Sully. Non, je peux m'en charger seul. D'accord. Je te rappelle dès que j'ai du nouveau.

— De qui parlais-tu ? Sully a trouvé une piste ? demanda-t-elle avant même qu'il n'ait raccroché.

— Non. Pas vraiment, répondit Quinn en revenant vers la chambre.

Jane était toujours debout dans l'encadrement de la porte. Quinn posa ses deux mains sur sa taille et, la soulevant légèrement pour l'en écarter, pénétra dans la chambre.

— Je dois m'absenter une heure ou deux, annonça-t-il en récupérant son T-shirt sur la chaise. Après mon départ, je veux que tu t'enfermes à double tour et que tu ne bouges pas d'ici jusqu'à mon retour.

— J'ai dû mal comprendre.

Les poings refermés sur ses hanches, Jane se campa en travers de sa route.

— Et pendant que je m'occuperai à quelque activité féminine, comme me faire les ongles, toi, tu seras où exactement ?

— J'ai quelqu'un à voir à propos d'un chien, répondit Quinn en évitant son regard. C'est ce que disait toujours mon oncle Lee quand…

— Quand il ne voulait pas que tu saches où il allait, coupa Jane. Ne te fatigue pas, McGuire, j'ai compris.

— Ecoute, mon ange…, dit-il d'un ton piteux.

— A propos de chien, tu sais comment on appelle la femelle de cet animal ?

— Une chienne ? hasarda Quinn.

Jane ramassa son propre jean sur la chaise et l'enfila. Puis, jetant le peignoir en boule sur le lit, elle tendit la main vers son soutien-gorge.

— Exact. Une chienne. Une chienne enragée. C'est ce que tu trouveras en rentrant si tu me laisses seule ici. Je viens avec toi, Quinn ! Sully a trouvé une piste, n'est-ce pas ?

— Peut-être, et peut-être pas.

Quinn riva son regard dans le sien.

— Carla a téléphoné chez Sullivan Investigations pour leur demander de nous communiquer un message. Elle a surpris ton agresseur ce matin. Il essayait d'entrer chez toi par effraction.

— Elle est complètement bouleversée…

Debout sous le porche délabré de la vieille maison victorienne, Quinn et Jane se tenaient légèrement en retrait afin d'éviter les regards indiscrets de Mme Quantrill, toujours postée derrière son rideau. Gary les avait attendus là, manifestement dans le but de les intercepter avant qu'ils ne montent chez Carla.

Comme s'il pesait ses mots, celui-ci hésita un moment avant de reprendre.

— Je sais que ce n'est pas ta faute. Mais cette ordure aurait pu la blesser grièvement. J'aurais préféré que tu ne mêles pas Carla à tes problèmes, Jane.

Quinn braqua son regard sur lui. Ni sa posture ni l'expression de son visage n'avaient changé, mais quelque chose de menaçant se dégageait soudain de sa personne.

— Qu'essayez-vous d'insinuer, Crowe : que Jane est responsable des actes de ce malade ? Je suis désolé pour ce qui est arrivé à votre petite amie, mon vieux, mais si c'était Jane qui était arrivée à ce moment-là, je doute qu'elle s'en serait sortie avec quelques bleus.

Sa bouche se crispa.

— Mais nous perdons du temps. Carla peut-elle fournir une description de l'homme qu'elle a croisé ?

Gary eut un rire amer.

— Avant qu'il ne l'assomme et ne s'enfuie, elle s'est retrouvée nez à nez avec ce type. Je crois qu'elle a eu le temps d'apercevoir son visage.

Il s'interrompit et ouvrit la porte de l'immeuble.

— Je m'excuse, dit-il en se tournant vers Quinn. Je suis un peu sorti de mes gonds. Mais quand je l'ai entendue hurler et que je l'ai ensuite trouvée par terre, sans connaissance, je peux vous dire que j'ai eu peur. Je…

Il avala sa salive. Jamais elle ne l'avait vu si pâle, remarqua Jane, compatissante.

— Pendant une fraction de seconde, j'ai envisagé le pire, ajouta-t-il à mi-voix.

— Moi aussi je me suis emporté, avoua Quinn en lui emboîtant le pas. La manie qu'a ce type d'attaquer les femmes commence à me porter sur les nerfs.

— Certes. Carla n'est pourtant pas une faible femme. Mais apparemment, il ne lui a pas laissé le temps de réagir.

Ils arrivaient au dernier étage.

— Tout à l'heure, poursuivit Gary, elle voulait entrer chez Jane pour voir si le type avait laissé autre…

— Je ne comprends pas, s'exclama Quinn en l'agrippant par le bras, je croyais qu'elle l'avait surpris alors qu'il tentait d'entrer dans l'appartement ?

— Il était devant la porte de Jane quand elle est arrivée par l'escalier. On ne peut pas savoir s'il essayait d'entrer ou s'il ressortait déjà de l'appartement.

Baissant les yeux, Gary s'interrompit et considéra la main posée sur son bras.

— Quelle différence cela fait-il, McGuire ? Mon Dieu ! reprit-il après une courte pause. Vous croyez qu'il aura installé un piège dans l'appartement ?

Jane tourna un regard inquiet vers Quinn, mais celui-ci s'élançait déjà le long du petit couloir en direction de sa porte d'entrée. L'air affolé, Gary se précipita aussitôt sur ses talons, le dépassa et poussa la porte de l'appartement qu'il partageait avec Carla. Il se rua à l'intérieur en appelant sa compagne et en ressortit aussitôt, les traits livides.

— Elle n'est pas là. Elle a dû…

Avant qu'il ne termine sa phrase, Jane entendit Carla répondre à Gary depuis l'intérieur de son *propre* appartement. Elle sentit alors un frisson la parcourir. Quelque chose de terrible allait arriver. Sans savoir pourquoi, elle en eut le pressentiment immédiat.

Quinn avait maintenant atteint la porte de son petit studio. Mais au moment de poser la main sur la poignée, il s'immobilisa et s'accroupit. Elle eut l'impression qu'il examinait la serrure.

Brusquement, il releva la tête.

— C'est bourré d'explosifs ! Carla… éloignez-vous de la...

Carla avait-elle eu le temps d'entendre l'avertissement de Quinn ? Quoi qu'il en soit, avant que celui-ci n'ait achevé sa phrase, Gary s'était emparé de la poignée et la secouait d'une main frénétique…

Quand, plus tard, elle tenta de se remémorer la scène, Jane ne put visualiser qu'une succession d'images figées. Elle revit, à l'instant où la porte s'entrouvrait, la main de Quinn se tendre vers celle de Gary. Elle le vit se retourner avec la vivacité d'un fauve, se dresser sur ses jambes et bondir dans sa direction. Elle revit aussi — ou crut revoir — l'expression stupéfaite de Carla au moment où la porte s'était ouverte en grand et celle, horrifiée, de Gary se retournant vers eux.

Puis, elle revit Quinn enrouler ses bras autour d'elle, son formidable élan les projetant tous deux au sol. Sans la lâcher, il avait roulé plusieurs fois sur lui-même comme un parachutiste atterrissant sur une aire de combat.

Et une fraction de seconde plus tard, tout avait explosé.

10.

— Gary Crowe va bien. Ils ont dû recoudre la blessure qu'il avait près de l'œil. Mais il peut remercier son étoile de ne pas avoir perdu la vue.

Jennifer Tarranova fixa Jane d'un air sombre.

— Mais en ce qui concerne votre amie Carla…

Semblant peser ses mots, l'inspecteur hésita un instant.

— … les médecins craignent qu'elle ait peu de chances de s'en sortir. Je suis désolée, mademoiselle Smith.

Accusant le choc, Jane pressa ses paupières l'une contre l'autre. Carla ! Cela faisait maintenant quatre heures qu'un maigre espoir au cœur, ils attendaient des nouvelles de son état. Quinn et elle étaient arrivés à l'hôpital quelques secondes à peine après l'ambulance qui avait transporté son amie. Même l'équipe d'urgence avait blêmi à la vue des blessures de la jeune femme, se remémora Jane avec horreur.

— Quinn est toujours avec Fitzgerald ? demanda-t-elle d'une voix blanche.

— Il relit sa déposition. Je suis désolée de vous avoir fait attendre si longtemps, mais nous ne pouvions vous laisser partir avant d'avoir complété vos déclarations par le témoignage de M. Crowe.

L'inspecteur posa une main hésitante sur l'épaule de Jane.

— Vous vous dites que vous devriez être à la place de Carla, en ce moment, n'est-ce pas ?

Jane ouvrit les yeux.

— Oui, prononça-t-elle à mi-voix. Mais je ne peux m'empêcher de penser que Quinn aussi aurait pu être mortellement blessé. C'est lui qui s'est approché de la porte le premier. Et…

En prononçant ces mots, Jane eut l'impression de basculer dans un cauchemar sans fin. *Le moteur est bloqué*, dit une voix familière. *Quelqu'un a bloqué le moteur, et je vais m'écraser au sol !*

Les épaules soudain agitées de convulsions, elle porta les mains à son visage. Elles aussi tremblaient violemment à présent. Un froid glacé s'insinua dans ses membres. Mais l'instant d'après, des gouttes de sueur perlaient à son front. Jane comprit alors qu'elle allait s'évanouir. La pièce se mit à tourner autour d'elle. Elle devait s'accrocher, tenir bon. Elle n'allait pas s'écrouler là… pas devant une collègue.

Une collègue… Jane se figea. Le terme avait surgi dans son esprit et le choc qui s'ensuivit suffit à stopper net les effets du malaise.

— Si McGuire avait ouvert la porte de l'extérieur, reprit Jennifer Tarranova, il s'en serait sans doute tiré avec une ou deux entailles et quelques hématomes, rien de plus.

Elle se pencha en avant et, les coudes posés sur ses cuisses, joignit les mains.

— D'après les premières conclusions des démineurs, expliqua-t-elle, la bombe avait été placée de manière à exploser *à l'intérieur* de l'appartement. Normalement, personne à l'extérieur n'aurait dû être blessé. Sans ce morceau de métal projeté par l'explosion, M. Crowe s'en serait sorti indemne.

Chassant un nouveau vertige, Jane prit une profonde inspiration.

— Mais Carla, elle, n'a pas eu cette chance.

Les lèvres comme paralysées, elle articula ces quelques mots avec l'impression qu'il y avait un décalage entre le moment où elle les avait prononcés et celui où elle les entendit.

— Est-ce que… est-ce que Gary a dit quelque chose qui vous aiderait à identifier le coupable ?

De nouveau, elle dut attendre une seconde avant que l'écho de sa voix ne parvienne à ses oreilles. Heureusement, l'inspecteur Tarranova semblait ne pas remarquer ses difficultés.

— Il n'a fait que restituer quelques bribes de ce que lui avait raconté Carla…

La jeune femme s'interrompit et poussa un soupir.

— Mais nous devrons nous contenter de cette description : homme de taille moyenne, de race blanche. La quarantaine, peut-être, avec des cheveux grisonnants. Voilà, conclut-elle sèchement. Ah, j'oubliais. Carla aurait également mentionné qu'il portait une bague — une grosse bague en or, nous a précisé Crowe. On peut penser à une chevalière. Hélas, avec de si maigres indices, je ne suis pas près d'arrêter le coupable, dit-elle en tapotant son gros ventre d'un air soudain radouci.

Sur la chaise voisine, Jane demeura totalement immobile.

— Une chevalière. C'est déjà une piste, je suppose, finit-elle par déclarer.

Malgré ses efforts pour en chasser toute émotion, sa voix l'avait-elle trahie ? Ou Jennifer Tarranova n'était-elle pas aussi absorbée dans ses conclusions qu'elle l'avait espéré — absorbée au point de ne pas trop s'intéresser à elle ? Quoi qu'il en soit, quand l'inspecteur planta un regard acéré dans le sien, elle frémit intérieurement.

— Qu'y a-t-il ? Cela vous rappelle quelque chose ?

Jane resta un moment interdite. Mais bien sûr ! Jennifer Tarranova ne savait rien de son amnésie, se rappela-t-elle soudain. Si elle ne voulait pas s'emmêler dans ses mensonges, elle avait intérêt à surveiller ses propos. Elle secoua la tête.

— Non. Mais il me semble que ce détail pourrait permettre de réduire considérablement le champ des recherches.

Tâchant de dissimuler sa nervosité, elle soutint un instant le regard soupçonneux de l'inspecteur. Puis Jennifer Tarranova poussa un soupir et après avoir jeté un coup d'œil à sa montre, elle se dressa lourdement sur ses jambes.

— Beaucoup de gens portent des chevalières. Sans la description détaillée de Mlle Kozlikov, j'ai bien peur que nous en soyons réduits à chercher une aiguille dans une botte de foin, comme on dit.

Tout en esquissant un sourire à l'adresse de Jane, elle passa une main lasse sur ses reins.

— J'ai encore une tonne de paperasse qui m'attend au commissariat. Je ferais mieux de récupérer Fitzgerald avant de me remettre au travail. Vous voulez venir avec moi ? Ou dois-je dire à ce bel Irlandais que vous l'attendez ici ?

— Je préfère attendre ici.

Jane leva les yeux et quelque chose vacilla dans son regard.

— Savez-vous si ce sera un garçon ou une fille ? demanda-t-elle d'une voix douce.

— Une fille.

Une lueur s'anima au fond des yeux bruns.

— Mon mari jure que je l'ai fait exprès pour qu'il se retrouve en minorité, dit-elle en souriant. Mais je sais qu'il va être encore plus gâteux que moi. Il a déjà acheté le plus gros ours en peluche que j'aie jamais vu.

— Elle recevra beaucoup d'amour. C'est le plus beau cadeau que vous puissiez lui faire.

Jane sourit à son tour, cette fois, sans effort.

— Elle a beaucoup de chance. Vous aussi, ajouta-t-elle.

— Je sais, répondit simplement Jennifer Tarranova.

Jane suivit l'inspecteur du regard tandis qu'elle s'éloignait le long du couloir aseptisé. Comme celle-ci l'avait affirmé lors de sa première visite de l'autre soir, *elles s'étaient déjà rencontrées.* Il y avait à peu près quatre ans de cela, à un congrès mondial traitant des criminels en série.

Elle n'avait fait que quelques rares interventions au micro, se rappela Jane, grâce à un réel effort de concentration. Mais après le débat, Jennifer était venue lui poser quelques questions. Elle se souvenait même avoir pensé qu'elle aimerait s'en faire une amie.

Mais jamais Jennifer Tarranova ne deviendrait son amie à présent. Bientôt, celle-ci allait chercher à l'arrêter, et la traquerait partout où elle irait…

Soudain, un bruit de pas résonna sur le carrelage blanc et, sans même lever les yeux, Jane sut que c'était Quinn qui arrivait. Elle avait reconnu le rythme de son pas. Même dans une pièce plongée dans l'obscurité, elle saurait détecter sa présence. Son sourire, son odeur, elle les connaissait par cœur, à présent.

Elle le connaissait si intimement… et si peu en même temps.

— Fitz dit qu'on peut s'en aller. Comment te sens-tu, mon ange ?

Quinn s'accroupit devant elle et sans même lever les yeux, elle sut que les yeux clairs — ceux qu'elle avait crus sincères — la fixaient à présent avec inquiétude. Il chercha ses mains et elle le laissa les prendre dans les siennes avant de lever la tête et de rencontrer son regard.

— Tu m'as menti, McGuire.

Sa voix était atone, blanche.

— Je *suis* Jan Childs, n'est-ce pas ?

— Comment ai-je pu être aussi *stupide ?*

Tout en arpentant la salle de conférences de Sullivan Investigations, Quinn posa un regard morne sur son ami.

Sullivan haussa les épaules.

— Tu n'avais pas vraiment le choix, Quinn. Avant que je ne t'appelle pour t'annoncer la mauvaise nouvelle, elle avait déjà décidé de se rendre aux autorités. Ton mensonge aura au moins servi à gagner un peu de temps.

— Oui. Mais nous n'avons toujours pas de piste, grogna Quinn. Jan n'a pas tué Asquith. Je le *sais*. Quelqu'un essaie de lui faire porter le chapeau.

— D'après les enquêteurs, Asquith avait beaucoup d'ennemis. Mais c'étaient plutôt des hommes d'affaires, le genre d'individus qui n'hésiteraient pas à mettre un type sur la paille, mais qui n'iraient pas jusqu'au meurtre. Et si j'ai bien compris, c'était lui-même un sacré requin.

— Il avait un frère, non ? dit Quinn, pensif, en tapotant ses incisives du bout de l'ongle.

Il reprit son mouvement circulaire autour de la table.

— Que sait-on à propos de ce frère, Sully ? Pourrait-il être l'auteur du meurtre ?

— Léon Asquith a tellement de sang sur les mains que jamais elles ne retrouveront leur couleur d'origine, répliqua Sullivan d'un ton sec. Mais s'il y avait quelqu'un à qui il semblait tenir, c'était son frère Richard. On pourrait lui mettre bon nombre de crimes sur le dos, mais pas celui-là, Quinn.

— Tu peux déjà lui attribuer l'explosion qui a eu lieu il y a à peine quelques heures.

La voix féminine qui, depuis la porte, venait de prononcer ces mots était curieusement dure.

— Et si Carla meurt, je peux vous assurer que ce type moisira en prison pour le reste de ses jours ! En tout cas, ce n'est pas en jacassant dans un fauteuil qu'on avancera.

Quinn se retourna. Là, devant ses yeux, s'introduisant d'un pas vigoureux dans la pièce, se trouvait Jane... ou plutôt, Jan, rectifia-t-il en son for intérieur. Et il n'avait pas besoin de la regarder de plus près pour savoir que c'était bien Jan qu'il voyait — Jan Childs, la femme dont la photo figurait dans le mince dossier posé sur la table derrière lui. Un des meilleurs inspecteurs de police du pays, d'après les rapports d'investigation. Spécialisée dans le profiling, on la disait plus efficace que certains des membres du FBI. Au point qu'ils avaient même voulu l'embaucher, au Bureau. Mais elle avait décliné leur offre. Après une enfance tumultueuse à errer d'un Etat à l'autre en compagnie de sa mère et d'une succession de beaux-pères, elle avait préféré rester à Raleigh où elle avait fini par élire domicile après ses études.

Si l'on en croyait son dossier, Jan Childs était une coriace, une solitaire — brillante, acharnée, un bourreau de travail. Même ses rares intimes avouaient qu'elle était distante. Certains étaient même allés jusqu'à la qualifier de glaçon. La femme qui se tenait à présent devant lui ne ressemblait en rien à celle qu'il avait connue sous le nom de Jane Smith, songea Quinn. Par sa faute... et peut-être pour toujours, Jane Smith avait disparu.

A moins que... Etreint par le besoin de savoir, il fit un pas vers elle.

— J'ai fait une grave erreur, admit-il de but en blanc tout en cherchant son regard.

Deux yeux glacés se posèrent sur lui.

— Je n'aurais jamais dû te cacher ton identité, Jan. Je l'ai fait dans le seul espoir que nous arriverions à te laver de tout soupçon avant que tu ne te rendes aux autorités. Mais aujourd'hui, je comprends que c'est toi qui aurais dû en décider.

Avec l'impression que quelque chose avait vacillé au fond des yeux bleu marine, il crut un instant voir en face de lui la

Jane qu'il connaissait. Tendant la main, il la posa doucement sur son bras.

— Comment te sens-tu, mon ange ? demanda-t-il de manière spontanée.

Mais la lueur entraperçue un instant plus tôt avait disparu. Tout en le fixant avec froideur, la jeune femme mince à la silhouette altière tira une chaise jusqu'à elle et s'y assit, le dos très droit.

— Une ou deux choses, McGuire, dit-elle en ouvrant le dossier qui se trouvait devant elle.

Déjà concentrée sur son contenu, elle poursuivit sa mise au point.

— Tout d'abord, mon nom est Childs — ou Jan, si tu préfères. Evite les familiarités avec moi, s'il te plaît. Ensuite, il est vrai que nous avons eu une petite aventure tous les deux. Mais c'en est fini. A partir de maintenant, nos rapports se limiteront à de simples relations de travail.

Les sourcils froncés, elle jeta un bref coup d'œil à la photographie qui la représentait. Puis, la mettant de côté, elle referma le dossier.

— On croyait se connaître mutuellement. On s'est tous les deux trompés.

— Faux. C'était la chose la plus juste qu'aucun de nous ait jamais faite ou vécue, protesta-t-il en pesant ses mots. Ne crois pas que je ne te connaisse pas, Jan — je te connais mieux que tu ne te connais toi-même. Sinon, je ne serais pas ici en train de chercher à savoir qui a tué Richard Asquith.

— C'est pourtant simple, McGuire.

Les lèvres de Jan — les lèvres généreuses qu'il embrassait passionnément quelques heures plus tôt — se pincèrent.

— C'est *moi* qui l'ai tué.

— Quinn a de bonnes raisons de ne pas croire à cette histoire. Mais vous préférez éviter les conversations *personnelles,* si je comprends bien ?

Jusque-là, Sullivan s'était tu. Un bras posé négligemment sur le dossier de sa chaise, son nœud de cravate défait et le cuir de son holster largement visible, il était assis de l'autre côté de la table. Le regard à présent aussi glacé que celui qu'il rencontrait en face de lui, il poursuivit son intervention.

— Toutefois, peut-être accepterez-vous d'entendre les arguments que me dicte ma raison, mademoiselle. Si Quinn a refusé de vous dire qui vous étiez, c'était pour vous protéger contre vous-même — parce que vous étiez sur le point de vous rendre à la police pour un meurtre que vous pensiez avoir commis. Mais dans ce cas, pourquoi ne vous êtes-vous pas rendue aux autorités dès votre réveil à l'hôpital ? Et pourquoi ne le faites-vous pas aujourd'hui ?

Il secoua la tête d'un air exaspéré.

— Vous ne vous rappelez même pas avoir tué Asquith, ajouta-t-il, un mince sourire aux lèvres.

— C'est exact, Sullivan. Je ne m'en souviens pas.

Elle avait l'air fatiguée, nota Quinn avec une certaine inquiétude — fatiguée, et au bout du rouleau. Mais à cause de la distance qu'elle imposait entre eux, il choisit toutefois de garder ses impressions pour lui.

— Mais en dehors de cette scène précise, je me souviens d'à peu près tout. Je me rappelle ma vie passée. C'est encore un peu flou, reconnut-elle. Mais je me souviens de Richard. Nous étions fiancés. Je me revois me demandant comment j'avais pu être assez aveugle pour me lier à cet homme après avoir découvert sa nature profonde. Il m'avait frappée. Et je me souviens avoir pensé que j'avais choisi le même genre d'hommes que ceux que ma mère avait pour habitude de ramener à la maison.

— Il t'a frappée ?

Cette fois, Quinn n'avait pu s'empêcher d'intervenir. Sa main était déjà sur l'épaule de Jan et durant une fraction de seconde, il la sentit réagir à son contact. Puis, brusquement, elle s'écarta.

— Ce n'est arrivé qu'une fois. J'ai alors décidé de le quitter, mais il m'a aussitôt juré qu'il ne le ferait plus et j'ai...

Elle hésita. L'épaisse carapace dont elle s'entourait semblait soudain s'effriter, remarqua Quinn.

— Je savais quel genre d'homme il était. Je savais qu'il avait commencé à sortir avec moi parce que je représentais un défi pour lui — l'inspecteur Childs, une coriace qui avait la réputation de ne jamais se laisser entraîner dans aucun lit.

Elle émit un petit rire.

— J'aurais dû lui céder dès le départ. Il m'aurait alors si vite laissée tomber que je n'aurais pas eu le temps de dire « ouf ». Mais je me répétais que j'avais enfin trouvé quelqu'un... quelqu'un à aimer. Quelqu'un qui ne m'abandonnerait pas.

Le regard dur, les yeux brillants, elle le fixa.

— Il y avait si longtemps que Petite Puce cherchait un refuge. J'avais même réussi à me persuader que s'il m'avait battue, c'était par amour, parce qu'il avait peur que je rompe nos fiançailles. Alors, je suis restée. Mais je m'en voulais d'être si lâche. Et je me suis mise à le haïr.

— D'accord, mais, est-ce que vous vous revoyez en train de dégainer et de tirer sur Asquith ? demanda Sullivan, laconique.

— Non. Peut-être ne m'en souviendrai-je jamais. Je cherche sans doute à occulter ce moment où j'ai violé le serment solennel que j'avais prononcé. Parce que je suis alors devenue ce que je déteste le plus au monde : une vulgaire meurtrière.

Elle avait serré les poings.

— En tout cas, c'est mon revolver qu'ils ont trouvé sur les lieux du crime, ajouta-t-elle en désignant du menton le dossier posé devant elle. Et il y a des témoins : le gardien, le chauffeur et même le frère de Richard, qui nous ont vus ensemble moins d'une heure avant le meurtre. Et si Léon Asquith n'était pas persuadé que j'avais tué son frère, pourquoi me poursuivrait-il ainsi depuis des semaines ?

— Tout à l'heure, tu as affirmé qu'on pouvait lui attribuer l'explosion de cet après-midi, énonça Quinn à voix lente. Et à présent, tu insinues qu'il est ton agresseur. Comment peux-tu en être sûre ?

— A cause de la description que Carla a fournie à Gary. Et cette histoire de chevalière vient encore confirmer mes soupçons. Léon n'enlevait jamais la sienne. Elle avait appartenu à son grand-père, le premier baron Asquith, un industriel multimillionnaire. Le premier des Asquith à s'enrichir avec de l'argent sale, en vendant des armes, ajouta-t-elle d'une voix sèche — et c'est lui que Léon a pris pour modèle.

— J'ai examiné le dossier de notre ami Léon, dit Sullivan, un sourcil levé. Ce type est très prudent. Il engage des gens pour se charger des sales boulots. On n'a jamais pu le coincer, ne serait-ce que pour un dépassement de ligne blanche. Vous croyez qu'il risquerait tout ce qu'il a pour mener une vendetta contre vous ?

— Léon a une réelle dent contre moi. Une fois, il a essayé de me séduire. Je l'ai éconduit et je lui ai dit que s'il recommençait, je ferais savoir à Richard que son frère piochait dans ses réserves personnelles. Après cet incident, il a tout fait pour que Richard se détourne de moi. Il aurait certainement fini par y parvenir. Mais la femme qu'il haïssait le plus a alors tué le frère qu'il adorait.

Elle leva les yeux d'un air pensif.

— A sa manière, il aimait Richard, reprit-elle. Il a dû tout faire pour me retrouver, et découvrir entre-temps que j'étais amnésique. En informer les autorités et laisser la justice suivre son cours n'aurait pas suffi à assouvir sa vengeance. Léon veut que je souffre. Il veut que je meure d'une mort violente, comme son frère. D'une certaine manière, je le comprends.

— Pas moi, énonça Quinn d'une voix dure. Mais là n'est pas la question. Et tu n'as toujours pas répondu à celle de Sully — puisque tu penses avoir commis ce meurtre, pourquoi ne te rends-tu pas à présent alors que tu voulais le faire hier encore ?

Elle lui adressa un regard glacé.

— Aujourd'hui, je suis redevenue moi-même : Jan Childs. C'est-à-dire, un flic — un flic à qui il reste un meurtrier à arrêter.

Elle fit une pause.

— Ou plutôt deux. Moi-même, et... Léon Asquith. Et si tu refuses que je serve d'appât pour piéger cette ordure, je le ferai seule, McGuire.

Il l'avait prévenue qu'elle allait droit dans le mur. Les yeux plissés pour éviter la lumière agressive des phares qui venaient en sens inverse, Jan crispa ses doigts sur le volant de la Ford empruntée à Sullivan. Sans même tourner la tête, elle percevait la présence silencieuse et compacte de son compagnon de voyage. Peut-être avait-il raison. Peut-être Léon Asquith lui tendait-il un piège. Quoi qu'il en soit, tous les sens en éveil, elle avait choisi d'en prendre le risque.

McGuire s'était montré plus rusé que Léon. Avant de la trahir, il avait su gagner sa confiance.

— Comment as-tu deviné son nom d'emprunt ?

C'était toujours la même voix chaude, songea-t-elle, le cœur transpercé d'une douleur soudaine. Une voix de velours, épicée d'une pointe de whisky irlandais. Cette voix, elle l'avait entendue prononcer les mots les plus doux de la terre, crier passionnément son nom... lui mentir, aussi. Mais depuis l'appel téléphonique de Sully, ce soir-là, au cours duquel Quinn avait appris qu'elle était bien Jan Childs, il ne l'avait plus jamais appelée par son prénom. D'une certaine manière, c'était logique. Dans son esprit, elle n'était déjà plus Jane Smith, mais Jan. Et il le lui avait caché.

— Bill Crump était le nom de son grand-père. Quand ce dernier a émigré d'Angleterre, il a choisi un nom qui lui semblait plus percutant — William Asquith. Mais lorsqu'il se déplace et qu'il souhaite conserver un certain anonymat, Léon utilise souvent ce patronyme.

Elle enclencha le clignotant et se rabattit sur la file de droite.

— Sachant cela, et connaissant ses goûts, j'ai tout de suite pensé que *Crump* était descendu au Ritz.

— Quelle a été sa réaction au téléphone ?

Les yeux obstinément rivés sur la route, elle sentait son regard peser sur elle.

— Il n'a pas dit grand-chose. Je lui ai raconté que j'avais eu un accident et souffert d'amnésie pendant un certain temps. Puis que j'avais repensé à Richard et appelé chez lui, à Raleigh, où l'on m'avait aussitôt informée de son décès. A ce stade de mon récit, j'ai un peu joué l'hystérie.

— Toute cette mascarade est très risquée.

La voix de Quinn s'était durcie.

— Tu penses qu'il t'a crue ? demanda-t-il, dubitatif.

— Pourquoi ne me croirait-il pas ? Je lui ai ensuite raconté que je l'avais cherché dans toute la ville en pensant que lui-même devait s'inquiéter à mon sujet, comme si j'avais oublié nos différends. Qu'il m'ait crue ou non, il a tout de même accepté de me rencontrer.

— Oui, mais il ne t'a pas donné rendez-vous à son hôtel. Il t'a fait venir jusqu'ici, à des kilomètres du centre-ville. C'est un piège, Jan, une véritable souricière.

— Exact. Moi je suis le gruyère et toi le chat.

A la dernière minute, Jan vit le panneau signalant la sortie qu'elle aurait dû emprunter. Elle donna un coup de volant brutal, parvint à s'engager in extremis sur la bonne voie et immobilisa aussitôt le véhicule sur la bande d'arrêt d'urgence.

— Ce n'est pas possible, gronda-t-elle d'une voix excédée, les mains toujours agrippées au volant. Depuis le début, tu t'opposes à ce projet. Et maintenant qu'on est là, tu me demandes encore de reculer !

— Et si je pouvais, je t'attacherais sur le siège arrière et je ferais demi-tour, rétorqua Quinn.

— Essaye, McGuire !

Cette fois-ci, elle se tourna vers lui.

— Tant qu'on ne m'a pas arrêtée, je te signale que je suis toujours un flic, et grâce à ton ami Sullivan, je suis armée. Si tu tentes de m'empêcher de mettre mon plan à exécution, j'interpréterai cela comme une entrave à un officier dans l'exercice des ses fonctions et j'agirai en conséquence.

L'insistance de son regard la fit se sentir mal à l'aise. Il la dévisageait comme s'il la voyait pour la première fois.

— Je sais que tu m'as aimé, Jan, déclara-t-il d'une voix calme. Mais à présent, tu me traites comme un étranger… comme un ennemi qui aurait trahi ta confiance.

Elle avait cru déceler de la tristesse dans sa voix, mais chassa aussitôt cette impression de son esprit. Si elle acceptait l'idée que de réels sentiments s'étaient tissés entre eux, jamais elle ne supporterait de l'avoir perdu.

Pour continuer à avancer, elle devait se persuader que cette aventure n'avait été qu'une mascarade. D'ailleurs, elle en détenait la preuve.

— Ce n'est pas moi qui t'ai aimé, Quinn. C'est Jane Smith, qui a été assez naïve pour croire que toi aussi tu étais un peu amoureux d'elle. Pourtant, tu ne lui as jamais vraiment ouvert ton cœur.

— C'est faux. Je lui ai donné plus que…

Il marmonna un juron.

— Je *t*'ai donné plus que je n'ai jamais donné à personne. Je me suis donné à toi corps et âme.

— Corps et âme ? Non, Quinn. Ton âme, tu l'as gardée farouchement sous clé. Jamais tu n'as eu l'intention de m'en dévoiler les secrets.

A cette heure tardive, la circulation se faisait rare. Depuis qu'ils avaient quitté la voie principale, rien ni personne n'était venu distraire leur regard. Aucun véhicule ne semblait vouloir emprunter une sortie menant à une zone industrielle déserte. Pourtant, Jan aurait tant aimé que quelque chose vînt interrompre cette conversation. Soudain, elle n'avait plus envie d'entendre la confirmation de ce qu'elle venait d'avancer.

Pourtant, c'était elle qui avait commencé. Elle devait aller jusqu'au bout.

— Que signifie cette histoire d'oies sauvages, Quinn ? Et pourquoi refuses-tu d'en parler ?

Seuls les phares des véhicules filant sur l'autoroute et la pâle lueur de la lune éclairaient l'éclat glacé du bitume qui s'étalait à perte de vue devant eux. Informe, fantomatique, la lune était presque pleine, remarqua Jan.

— Je t'ai déjà dit que cette histoire ne méritait pas qu'on s'y attarde.

Le regard d'acier était plus indéchiffrable que jamais. Quinn McGuire était un extraterrestre, se dit-elle soudain. Aussi intouchable qu'un lointain habitant de la lune, même s'il donnait l'impression qu'on pouvait s'approcher de lui. De manière involontaire, elle se souvint avoir pensé qu'ensemble, ils pouvaient atteindre les étoiles et se mêler à elles.

— Je savais que tu dirais cela, répondit-elle d'une voix tranquille.

Elle aimait être Jan Childs. C'était rassurant. Jane aurait laissé ses émotions menacer le timbre de sa voix. Petite Puce, elle, serait déjà en train de défaillir. Mais Jan Childs avait le pouvoir d'ignorer l'homme qui était assis à son côté ; celui de reprendre le volant, de remettre le contact et de quitter le bas-côté recouvert d'un fin gravier. Tout cela, elle était capable de le faire sans ressentir la moindre souffrance, en se disant que M. Quinn McGuire ne signifiait rien pour elle.

Et à force de se le répéter, peut-être même parviendrait-elle à le croire un jour…

11.

Jadis, l'entreprise Bilt-Fine avait sans doute connu une activité florissante et d'après la taille de son parking envahi par les mauvaises herbes, elle avait dû accueillir une cinquantaine d'employés. Mais un beau jour, ses produits avaient à l'évidence cessé d'intéresser le marché. Aujourd'hui, l'usine, ainsi qu'un certain nombre d'autres bâtiments désaffectés desservis par la même route à l'abandon, n'était plus qu'un fantôme.

— J'ai la nette impression qu'il ne viendra pas.

En prononçant ces mots, Jan jeta machinalement un coup d'œil dans le rétroviseur. Mais Quinn, tapi sur le siège arrière, demeurait invisible. A sa place, n'importe quel homme de sa taille et de son envergure se serait déjà plaint de l'inconfort extrême de cette position. Cependant, Jan avait le sentiment que s'ils devaient rester coincés ici durant deux heures encore, voire deux jours, il accepterait son sort avec la même indifférence stoïque que celle dont il faisait preuve depuis un moment déjà. Quinn s'était contenté de faire remarquer qu'il avait vécu bien pire dans quelque montagne à l'autre bout du monde et la conversation s'était arrêtée là.

— Peut-être en a-t-il eu assez d'attendre dans le froid. Ou bien c'est encore un de ses petits jeux... Il m'aura fait venir jusqu'ici sans aucune intention de m'y rejoindre, juste pour s'amuser, ajouta-t-elle sans presque bouger les lèvres.

— Tu m'en verrais ravi, marmonna Quinn.

Bien qu'il se fût exprimé à mi-voix, Jan perçut aussitôt l'intonation sarcastique de ses propos.

— Eh bien, pas moi, McGuire, gronda-t-elle à l'adresse du volant. Je veux que ce type m'explique ce qu'il a manigancé. Rien ne sert de l'accuser dans le vide. Il doit déjà s'être forgé une dizaine d'alibis à l'heure qu'il est. Sans preuves tangibles, Tarranova et Fitzgerald ne me croiront jamais, a fortiori si ces accusations viennent de la bouche d'une criminelle.

— Arrête ! Je vais finir par t'appeler madame Landru.

Se retenant de riposter trop vite, Jan pinça les lèvres avec colère.

— Il s'agit d'un meurtre, McGuire, finit-elle par dire en tentant de contrôler le timbre de sa voix. Comment peux-tu en rire ?

— Je ne cherche pas à faire des plaisanteries. Je veux juste que tu comprennes mon point de vue.

Soudain, elle sentit une main agripper son coude et dut faire un effort de volonté pour ne pas se retourner brusquement.

— Le lieu est mal choisi pour en discuter, gronda-t-il. Mais je t'en supplie, cesse de t'accuser de ce meurtre, Jan. D'accord, il y a une pile d'indices accumulés contre toi. Mais des centaines d'innocents sont passés sur la chaise électrique à cause de prétendues preuves. La plupart d'entre eux n'y sont pas allés de gaieté de cœur, mais toi, on dirait que tu cherches à leur tendre la sangle pour t'y attacher. Tu ne te contentes pas de t'y résigner — tu *veux* y aller.

— Je ne *veux* pas y aller.

Un poids lui oppressait la poitrine comme si l'air s'était raréfié dans l'habitacle.

— Mais après ce que j'ai fait, c'est tout ce que je mérite.

— C'est Petite Puce qui mérite d'être punie, affirma Quinn d'une voix dure — elle a toujours mérité les punitions qu'on lui infligeait. Même plus tard, quand elle a grandi et qu'elle faisait croire aux gens qu'elle était la meilleure, Jan Childs, encore une fois, a eu ce qu'elle méritait — un fiancé qui la battait. C'est pour cette raison que tu es restée avec Asquith. Et c'est cette fragilité chez toi qui a attiré ce salaud. Il l'a sentie.

— Comme toi, rétorqua Jan.

Léon ne viendrait pas, se dit-elle. Et même s'il arrivait, elle se fichait pas mal de dévoiler leur stratagème à présent. Le visage blanc comme un linge et sa main cherchant la poignée de la portière, Jan se tourna vers Quinn.

— Toi aussi, tu as décelé ma fragilité. Et comme lui, tu en as profité. Tu m'as laissée t'aimer — commencer à rêver d'un avenir avec toi — alors que dès le début, tu savais pertinemment que tôt ou tard, tu me laisserais tomber. Jamais tu n'as eu l'intention de rester auprès de moi. Tu n'as même pas envisagé une seconde de faire ta vie avec moi. Je me trompe ?

Il y avait juste assez de lumière dans la voiture pour qu'elle distinguât l'expression de Quinn. Mais son visage était fermé, indéchiffrable. Même son regard ne laissait rien passer.

— Réponds-moi, Quinn, prononça-t-elle d'une voix soudain paisible. Tu n'as jamais vraiment songé à rester avec moi, n'est-ce pas ?

Il soutint son regard un moment.

— Non, finit-il par répondre. Non, je n'ai jamais pensé que cela arriverait.

Elle s'était trompée. L'invulnérable et solide inspecteur Childs n'avait pas la force d'entendre ces mots, songea-t-elle, l'esprit soudain glacé. C'était exactement comme si on venait de la couper en deux. Pendant un moment, elle ne fut ni l'enfant qu'elle avait été jadis, ni le flic, ni la femme qui, en réalité, n'avait jamais existé.

Elle ne fut qu'une âme déchirée, comme dépossédée. Il venait de faire ce qu'elle avait toujours craint qu'il fît. Jamais, jamais plus, elle ne serait heureuse — plus maintenant.

Quinn était toujours à portée de sa main, mais il était déjà sorti de sa vie.

— J'ai besoin d'être seule une minute, dit-elle d'une voix éteinte en ouvrant la portière.

— Si Léon arrive, tu feras une cible parfaite. Bon sang, Jan, je suis ton garde du corps. Je ne peux pas te laisser...

— Et moi, je suis flic, coupa-t-elle, en espérant garder son sang-froid quelques secondes de plus. Je peux me défendre seule, McGuire.

Avant qu'il n'ait eu le temps de répondre, elle était sortie du véhicule et s'éloignait à grands pas le long du béton craquelé qui menait à l'entrée de l'usine désaffectée. Sullivan lui avait prêté un gros caban, mais même le rude et épais lainage ne parvenait pas à combattre le froid terrible qui s'insinuait à présent dans tous ses membres. Trois nuits plus tôt, elle avait à peine remarqué l'humidité glacée de ce mois de novembre, songea-t-elle. Trois nuits plus tôt, abandonnée contre la large poitrine de Quinn, enfouie au creux de ses bras, l'air d'automne ne lui avait pas semblé froid du tout.

Elle atteignit le bâtiment. Quinn se trouvait dans la voiture, à une dizaine de mètres derrière elle. Dans une minute, elle devrait le rejoindre et faire demi-tour pour rejoindre Sullivan Investigations. Une fois là, elle pourrait appeler Tarranova, songea-t-elle, et laisser la procédure légale suivre son cours. Ainsi, elle pourrait enfin arrêter de penser.

A vrai dire, il y a déjà un moment que vous avez arrêté de penser, inspecteur Childs, gronda une voix intérieure luttant pour se faire entendre au-delà de la souffrance et de la confusion qui s'étaient emparées d'elle. Jan pressa ses paupières brûlantes l'une contre l'autre. Machinalement, elle venait d'enfoncer le bout de sa chaussure dans une petite motte de terre coincée entre deux dalles de béton. A un centimètre de son gros orteil, un mégot de cigarette se détachait sur la terre noire.

Une quantité de détritus jonchaient le sol — papiers, mégots, invariablement décolorés et depuis longtemps intégrés au décor. Mais celui-ci était d'une blancheur éclatante.

Léon était fumeur.

Elle se trouvait à découvert, mais soudain, elle sut que c'était Quinn qui était en danger, et pas elle. La bouche ouverte pour hurler un avertissement, elle se retourna d'un bond. Mais avant que les mots n'aient eu le temps de franchir sa gorge, il était déjà trop tard.

Tout à coup, la nuit se déchira avec une telle violence qu'elle porta instinctivement son bras à son visage pour le protéger. Au même moment retentit une terrible cacophonie qui lui donna l'impression que ses tympans allaient éclater. Puis, devant ses yeux, tout le côté de la voiture grise se tordit sous l'effet d'une formidable rafale, chaque nouvel impact déchiquetant la tôle en une violente explosion d'étincelles rougeoyantes.

— Quiiinnn !

Il était là-dedans, songea-t-elle, terrifiée — dans cette boîte de métal transpercée de toutes parts. Et si par miracle il n'était pas déjà mort, il le serait sous peu si elle ne faisait pas *quelque chose.* Le tireur devait être au-dessus d'elle, posté sur le toit du bâtiment. Déjà, elle enfonçait ses baskets dans le sol pour prendre son élan et courir en direction de la voiture et de Quinn. Etreinte par l'angoisse, Jan s'immobilisa une fraction de seconde. Jamais elle ne parviendrait à traverser ce mur de balles. Elle allait mourir instantanément, en sachant qu'elle n'avait pu le sauver.

Il devait y avoir un moyen de grimper sur ce toit — un tuyau ou une gouttière à laquelle elle pourrait s'accrocher pour se hisser au sommet du bâtiment à un seul étage. Il fallait qu'elle trouve quelque chose. Elle courut vers l'angle de l'usine — elle l'avait presque atteint — quand l'explosion la frappa par-derrière.

Elle était au sol à présent, projetée là avec une telle violence qu'elle avait à peine pu amortir sa chute avec ses mains. Elle sentit une douleur cuisante dans sa paume droite et le goût écœurant de quelque chose de chaud dans sa bouche. Ignorant la douleur, Jan se releva en titubant et retomba sur un genou avant de se redresser une nouvelle fois. Malgré la protection de l'épais caban, une chaleur insupportable lui brûlait le dos et le mur de brique à côté d'elle était illuminé de rouge comme si le soleil couchant y avait projeté un spectacle grandiose en Technicolor.

Avant même de se retourner, elle savait ce qu'elle allait découvrir.

Il avait tiré dans le réservoir d'essence. Le véhicule gris n'était plus qu'une immense boule de feu — le cœur du brasier s'élevant droit au-dessus de la place qu'occupait Quinn un instant plus tôt. Sur un rayon de cinq mètres, l'atmosphère autour de la voiture semblait s'être liquéfiée sous l'effet de la chaleur. Ce n'était pas le soleil qui se couchait, c'était la lumière qui, pour toujours, venait de s'éteindre.

Tétanisée, Jan fixait des yeux le bûcher où venait d'être immolé l'homme qu'elle aimait.

— *Non !! !*

Ce n'était pas un cri. Cet appel muet s'adressait directement à Dieu. « *Non.* Il ne peut pas mourir, parce que alors, rien sur cette terre n'aurait plus aucun sens. Vous ne le *laisserez* pas mourir, parce que sinon… »

Une fumée grasse tournoyait en épaisses volutes dans l'air saturé. Avant de retomber comme une feuille morte à ses pieds, quelque chose virevolta un moment devant ses yeux. Comme elle se baissait pour la ramasser, la chose commença à se désagréger entre ses doigts. Mais il en restait assez pour qu'elle en identifiât la nature. C'était un morceau de cuir noirci. Avant, il était marron et provenait… du blouson de Quinn.

Le visage crispé, les yeux exorbités, elle le tint un moment au creux de sa main avant de le porter à sa joue où il acheva de se désintégrer. Incrédule, elle examina sa paume. Elle était maculée de sang et de suie.

C'était son propre sang, comprit-elle au bout d'un moment. Dans sa chute, elle s'était blessée au visage et saignait encore du nez. Mais comment était-ce possible, puisqu'elle-même était morte ? Elle était sûrement morte, parce que jamais elle ne pouvait survivre à…

— *Vous l'avez laissé mourir !*

Cette fois, c'était un véritable hurlement, une accusation rauque et sauvage, comme arrachée à sa gorge. Sa tête s'était dressée vers le ciel.

— Pourquoi ? Pourquoi *lui ?* Pourquoi ne pas m'avoir prise à sa place ? Répondez-moi ! J'attends une réponse !

— Il est trop tard pour marchander avec Dieu, Jan. C'est avec moi qu'il faut négocier à présent.

La voix dure, rocailleuse, résonna juste derrière elle. Au même moment, elle sentit quelque chose de dur s'enfoncer dans son dos.

— Mais là aussi, la négociation est compromise — depuis l'instant où tu as pressé la détente et assassiné mon frère. Et je t'en prie, épargne-moi tes histoires d'amnésie. Sors ton revolver, Jan, et pose-le par terre. Je sais que tu es armée.

Elle ne bougeait pas.

— J'ai dit que j'attendais une réponse. Pourquoi avais-tu besoin de le tuer ? demanda-t-elle, les dents serrées.

— Parce qu'il était là, tout simplement.

Sa voix avait une tonalité sarcastique.

— Parce que c'était ton garde du corps et qu'il m'aurait empêché de faire ce que j'ai l'intention de faire. A présent, pose ton flingue par terre avant que je me mette vraiment en colère.

Lentement, les yeux toujours rivés sur la carcasse en flammes, Jan glissa une main sous sa veste. Elle pourrait le prendre de vitesse, se dit-elle. Elle aurait sans doute le temps de se retourner et de tirer avant qu'il ne la transperce d'une rafale de balles. Cependant, elle n'était pas certaine de parvenir à le tuer du premier coup. Léon aurait une chance de s'en sortir et cette chance, elle refusait de la lui donner. Elle dégagea le Beretta de son holster et se pencha en avant pour le déposer sur le sol. Si vivre lui semblait à présent vain et futile, elle voulait que sa mort, au moins, ait un sens.

Elle attendrait le moment propice et veillerait alors à ce que Léon Asquith l'accompagnât dans l'autre monde.

— Comment savais-tu que Quinn était avec moi ?

Le revolver s'enfonça plus profondément dans son dos et elle vacilla un instant sur ses jambes avant de reprendre son équilibre.

— On m'a dit qu'il ne te quittait pas d'une semelle. Avance, Jan, ordonna-t-il d'un ton excédé. Il y a une porte derrière l'angle du bâtiment.

Là se trouvait l'entrée réelle de l'usine, comprit-elle, en considérant la porte de métal rouillé tandis qu'il la poussait devant lui sur le seuil, tâtonnant à la recherche d'un interrupteur. L'autre, c'était celle par laquelle s'engouffraient jadis secrétaires et directeurs, à l'écart de la crasse et du bruit réservés aux ouvriers. Derrière elle, Léon trouva l'interrupteur. Une lumière bleutée et criarde inonda les lieux. Droit au-dessus de sa tête, un néon grésilla avant de rendre l'âme.

— Depuis dix ans, ils laissent l'électricité branchée dans l'espoir qu'un acquéreur pointera son nez, grogna Asquith. Je suis moi-même venu visiter ce dépotoir il y a quatre ans. Mais je n'ai pas eu besoin d'allumer la lumière pour savoir que je n'étais pas intéressé. En revanche, cet endroit fera très bien l'affaire pour le projet que j'ai en tête. Dirige-toi vers cette machine à l'angle de la pièce, dit-il en désignant de la tête un engin tout droit tiré d'un roman de Jules Verne.

L'énorme machine piquée par la rouille était composée d'une longue plaque de métal horizontale placée à hauteur de la hanche, surmontée d'un bras également métallique au bout duquel se trouvait une gigantesque roue en fonte.

— J'avais pourtant prévenu Richie qu'il ne pouvait pas se permettre de fréquenter un flic, dit soudain Léon.

Ils contournèrent une autre machine à l'aspect aussi étrange et mystérieux que la première.

— Mais il disait que tu n'y voyais que du feu, que tu l'aimais. Pourquoi l'as-tu tué ? Avais-tu découvert ses petites manies ?

— Quelles manies ? demanda-t-elle d'une voix monocorde. Celle de frapper les femmes ?

— Il n'a fait que te frapper ? Votre relation n'était pas encore allée aussi loin que je le pensais, dans ce cas.

Léon eut l'air un peu surpris.

— J'adorais mon petit frère, ajouta-t-il. Mais c'était un drôle de type, à l'imagination… disons… débridée. Si ce n'est pas à cause de ses petits jeux, pourquoi l'as-tu tué ?

Sa voix s'était durcie. Ils avaient à présent atteint la machine qu'il lui avait désignée.

— Comment as-tu pu faire une chose pareille ? hurla-t-il en enfonçant cruellement le canon du revolver dans sa colonne vertébrale. Tu te rends compte de ce que tu as fait ?

Faisant écho aux messages effrayants avec lesquels il l'avait torturée durant ces semaines interminables, ces propos lui rappelèrent une autre accusation.

Je sais qui tu es.

Je sais ce que tu as fait.

A l'intérieur d'elle, quelque chose se déclencha soudain. Dédaignant l'arme qui la menaçait, Jan se retourna et lui fit face.

— Non, Léon. Justement, je ne savais pas ce que j'avais fait. Je ne savais même plus qui j'étais. Tes petits messages ne signifiaient rien pour moi. Tu aurais aussi bien pu me tuer dès que tu as retrouvé ma trace…

— Une armée de flics a commencé à mettre le nez dans nos affaires, siffla-t-il entre ses dents comme s'il n'avait pas entendu ce qu'elle venait de dire. Ensuite, le FBI s'en est mêlé. Sous le prétexte de rechercher un client qui aurait eu une dent contre lui — quelqu'un susceptible de t'avoir engagée pour le tuer — un de leurs experts en comptabilité a épluché tous les dossiers de Richie. Cela faisait déjà un moment qu'ils cherchaient à nous coincer, et tu leur as permis de le faire.

Il eut un rire amer.

— Ils t'auraient sans doute décerné une médaille avant de t'arrêter. Ma tête va tomber en même temps que l'entreprise d'armement Asquith, Jan.

— Vous trafiquiez dans la vente d'armes illégale, énonça-t-elle d'une voix lente, à mesure que la lumière se faisait dans son esprit. Tu es donc un de ceux qui font durer les guerres. Un de ceux qui vont jusqu'à les provoquer, quand les affaires sont un peu à la baisse.

Sans l'avidité de personnages comme Léon Asquith, songea-t-elle amèrement, des hommes tels que Quinn McGuire ne seraient pas expédiés de guerre en guerre jusqu'à ce qu'ils fussent si las et endurcis qu'ils ne puissent plus s'adapter à aucun autre mode de vie.

Depuis les dix dernières minutes — depuis l'explosion —, son esprit était comme engourdi. Engourdi au point d'étouffer le cri intérieur qui l'avait déchirée de part en part quand elle avait eu la certitude que Quinn était mort. C'était comme si une série de portes verrouillées avaient séparé la véritable Jan Childs du robot qui conversait à présent avec Léon Asquith.

Mais comme si quelqu'un venait d'actionner simultanément tous ces verrous, cette dernière révélation fit monter en elle le hurlement qui y était tapi, libérant d'un seul coup l'immensité du chagrin jusque-là contenu.

— Tu l'as tué ! Tu l'as tué ! Et si tu ne l'avais fait ce soir, toi et tes semblables auriez tout de même fini par provoquer sa mort. Sois maudit ! *Tu ne mérites pas de vivre…*

Tendant brusquement les deux mains vers la gorge de Léon, elle eut le temps de voir son regard étonné. Puis, avec toute la force que lui conférait sa rage mêlée de peur, elle referma ses mains sur ce cou et ses pouces s'enfoncèrent instinctivement dans le larynx de l'homme.

Une seconde après, l'incident était clos. Du coin de l'œil, elle aperçut le revolver brandi au-dessus de sa tête. Ensuite, elle vit la crosse de l'arme arriver droit sur sa tempe. Et puis, tout à coup, tout devint noir…

Rouge comme le sang, bleu comme le ciel et vert comme l'herbe de mon pays… Demande-lui de te parler des oies sauvages… Je me suis donné à toi corps et âme…

Je me suis donné à toi corps et âme.

Bientôt, elle allait le rejoindre. Si Dieu existait, et s'il daignait abaisser son regard sur eux, il pardonnerait sûrement à deux âmes égarées d'avoir toujours fait le mauvais choix. Quinn avait peut-être raison — ils ne seraient peut-être jamais admis au paradis. Mais peut-être seraient-ils autorisés à errer ensemble devant ses grilles. Et certains soirs d'automne, réunis pour l'éternité, ils brilleraient au-dessus d'un monde peuplé de malheureux humains et d'amants providentiels.

— Je sais que tu m'as aimé, McGuire. Je le sais, murmura Jan avec difficulté, luttant pour émerger de l'inconscience.

Soudain, le cours embrumé de ses pensées vola en éclats. Un grondement si violent s'éleva derrière elle qu'elle eut le réflexe immédiat de porter les mains à ses oreilles. Cependant, pour une raison inconnue, elle n'y parvint pas. Parcourue par une violente secousse, elle ouvrit brusquement les yeux.

La première chose qu'elle vit, ce fut le visage couvert de sueur et les yeux exorbités de Léon braqués sur elle. Elle comprit alors qu'il l'avait allongée et solidement attachée à la plaque de métal de la machine.

Cet engin fonctionne encore. Je me demande à quoi il sert, se dit-elle, aussitôt consciente de l'ironie tragique de sa question.

Une autre secousse agita la machine tout entière et Jan tordit le cou juste à temps pour voir le lourd bras métallique soulever l'énorme roue. Après s'être élevé au maximum, il équilibra sa position et avec une violence inouïe, vint écraser la roue contre la plaque.

Durant cette opération, le bras avait avancé de quelques centimètres et la roue se trouvait à présent à moins d'un mètre de sa tête. Une nouvelle fois, le levier métallique se leva au maximum et après une courte pause, il commença à redescendre en direction de la plaque.

— Salue Richie de ma part quand tu le verras, inspecteur. Dis-lui qu'il s'est conduit comme un imbécile en ne détruisant pas les traces de la dernière transaction avec El-Hamid, comme convenu.

Léon se pencha vers elle. Il était si près qu'elle sentait l'odeur âcre de sa sueur, mêlée à celle, moins désagréable, de la graisse et de l'essence qui émanait de la machine.

— Dès que je t'ai vue, j'ai su que tu nous attirerais des ennuis. Cependant, j'ai toujours compris ce qui, chez toi, attirait Richie. Tout aurait pu se passer différemment entre nous.

— Non, Léon.

Dans un terrible fracas, la roue s'aplatit une nouvelle fois juste derrière sa tête. Jan tressaillit, mais en son for intérieur, elle se sentait envahie par un calme étrange et parvint même à se concentrer.

— Toi et moi, nous ne pouvions être qu'ennemis. C'est le destin.

— Je ne crois pas au destin, rétorqua Léon en jetant un coup d'œil au levier positionné à présent à quelques centimètres d'elle. Mais je crois en la vengeance — au *châtiment*. Et en ce qui me concerne, c'est *toi* qui dois mourir. C'est d'ailleurs le spectacle dont je vais me réjouir d'ici quelques instants, Jan, dit-il en déposant le revolver désormais inutile sur le rebord de la plaque métallique.

— Tu te trompes sur deux points, Léon.

Les paupières pressées l'une contre l'autre, elle s'interrompit. La roue était si proche à présent, qu'elle parvenait à sentir sur son front l'air qu'elle déplaçait. Hurler, supplier pour qu'il la relâche eût été vain. Léon serait sans pitié. Il pensait sincèrement qu'elle devait payer de sa vie pour ses actes.

Et une heure plus tôt, elle-même en était convaincue. Mais à présent, elle voyait les choses différemment. Elle ne méritait pas un tel châtiment.

— D'abord, je ne me souviens pas d'avoir tué ton frère. Mais que tu me croies ou non, je peux t'affirmer que je n'aurais commis un tel acte qu'en cas d'extrême nécessité. Pour défendre ma peau ou s'il avait tenté un de ces petits jeux dont tu parlais et qu'il fût soudain devenu incontrôlable. Jamais je ne pourrais tuer quelqu'un de sang-froid. Je n'ai pas mérité de mourir, Léon.

Soudain, elle se sentit étrangement légère, comme si, après l'avoir oppressée des années durant, un poids énorme venait de libérer sa poitrine. Elle n'était pas un monstre, se dit-elle, tremblante. Bien sûr, elle avait commis des erreurs — certaines plus graves que d'autres. Mais la culpabilité qui la paralysait depuis l'enfance avait enfin disparu. Elle sentit une grande paix l'envahir.

Et soudain, elle sut ce qu'elle devait faire.

Soufflant un peu plus d'air sur ses cheveux et son front, la presse s'abaissa une nouvelle fois. Encore un coup, peut-être deux, songea-t-elle avec calme. Le temps était compté.

— Je doute que tu aies le temps de me convaincre quant au deuxième point, Jan, grinça Léon en se penchant vers elle, un sourire sadique aux lèvres.

La cravate de soie rouge et noire de Léon frôla sa main droite.

— Il tient en quelques mots, Léon : tu n'auras pas le plaisir de me regarder mourir.

Surpris, Léon redressa légèrement la tête. L'extrémité de sa cravate atterrit alors presque au creux de sa main. D'un geste vif, elle l'agrippa, l'enroula deux fois autour de son poing fermé, et attira violemment la tête de Léon contre la sienne.

— Parce qu'on va partir ensemble, Léon, murmura-t-elle, ses lèvres à un centimètre de la bouche à présent déformée par la stupeur.

En une grotesque parodie d'intimité, leurs deux regards se rivèrent l'un dans l'autre. Elle sentait la sueur de Léon dégouliner sur ses cheveux et elle vit ses yeux s'agrandir. Derrière eux, la presse descendit une fois de plus et il commença à se débattre pour tenter de lui échapper.

— Lâche-moi ! Lâche-moi, Jan. J'arrêterai la machine, je te le jure. Je voulais te faire peur, c'est tout. *Lâche-moi, Bon Dieu !*

Il fit un brusque mouvement en arrière, aussi loin que les quelques centimètres de cravate le lui permettaient. A ce moment-là, l'énorme presse se positionna au-dessus d'eux. Sur le visage de Léon, la haine remplaça soudain la peur.

— Tu ne m'auras pas ! hurla-t-il.

Elle sentit sa main tâtonner maladroitement le long de la plaque métallique à la recherche du revolver. Mais sa liberté de mouvement était presque nulle et il ne voyait pas ce qu'il faisait. A deux reprises, il la frappa de son poing au niveau de l'estomac, mais elle le tenait si serré contre elle qu'il ne put réunir assez d'élan pour la neutraliser.

Il avait une seule chance, se dit-elle : réussir à s'emparer du revolver.

Cette fois, Jan vit la lourde roue se placer juste au-dessus de sa tête, prête à frapper.

Encore un dernier battement de cœur, et elle rejoindrait Quinn. Elle ferma les yeux et revit le regard gris clair, le sourire qui, chaque fois, la faisait chavirer. Elle entendit la voix chaude aux accents de velours et de whisky irlandais. Bientôt, elle serait dans ses bras et cette fois, elle ne le laisserait pas — elle ne le laisserait *jamais plus* — repartir.

Un grincement métallique annonça que la presse était sur le point de redescendre. Elle constata alors avec horreur qu'elle avait desserré son étreinte autour de la cravate de soie et vit Léon s'écarter brusquement d'elle, un sourire triomphant sur sa face haineuse. S'emparant du revolver, il le braqua sur elle. Elle reconnut le déclic du chargeur. Puis elle l'entendit hurler quelque chose d'inintelligible…

Soudain, il vacilla sur ses pieds et le revolver lui échappa.

Le bras mécanique se mit alors en action et dans un vacarme assourdissant, la roue commença à descendre.

12.

Jan ne se rappelait pas l'impact de la roue s'écrasant sur elle. Elle avait dû mourir sur le coup et le néant dans lequel elle évoluait à présent se trouvait sans doute dans quelque monde intermédiaire. Combien de temps encore devrait-elle errer dans ces limbes avant d'entendre la voix de Quinn ?

— Jan !

Enfin ! Elle savait qu'il l'attendrait pour l'emmener avec lui. Mais comment les âmes communiquaient-elles dans l'au-delà ? Par télépathie, sans doute, comme il venait de le faire. C'est donc par la pensée qu'elle lui répondit.

— Jan, Jan ! Je t'en supplie, réponds-moi. Dis quelque chose.

Il ne l'avait pas entendue et il y avait de la terreur dans sa voix. Etrange… Pouvait-on encore s'inquiéter, une fois mort ? Elle sentit alors qu'elle venait de froncer les sourcils. Cela aussi c'était étrange, puisqu'elle avait quitté son corps.

— Si elle est morte, je jure qu'avant ce soir je rejoindrai le vol des oies sauvages. Si elle est morte…

La voix se brisa. Puis, de manière presque inaudible, le monologue reprit.

— Si elle n'est plus, alors, prenez-moi aussi.

Le vague murmure aux intonations rauques s'était rapproché. Jan entendit également des bruits de pas, puis un son curieux, comme celui d'un objet métallique tombant au sol.

Au sol ? Mais de quel sol pouvait-il s'agir ? Celui de l'usine Bilt-Fine ? Si elle n'était pas encore morte, c'était que tout était encore à venir, se dit-elle, envahie par la panique, et que la presse n'était pas encore retombée. Mais pourquoi ? Etait-ce un nouveau supplice imaginé par Léon ?

Et si elle n'était plus de ce monde, comment pouvait-elle entendre la voix de Quinn ?

— Quinn ?

Cette fois, son nom avait réellement franchi ses lèvres. Elle devenait folle. Elle appelait un fantôme, un fantôme ramené à la vie par sa seule imagination. Mais comment ce spectre pouvait-il se déplacer, faire tomber des objets ? Et pourquoi l'avait-elle fait apparaître au milieu de la pièce et non auprès d'elle ?

— Quiinn !

Le hurlement s'arracha à sa gorge à l'instant même où la lumière se faisait dans son esprit. Elle était vivante, et Quinn aussi était *vivant.* Dieu seul savait par quel miracle, mais il était vivant, et il venait la chercher.

— Quinn... attention. Il est armé.

Aussi vite que la joie l'avait envahie, une peur panique s'empara d'elle.

— Il est là, quelque part..., haleta-t-elle.

— Asquith est mort, Jan.

La voix chaude était juste à côté d'elle maintenant. Puis, des bras entourèrent son buste et, dans l'obscurité, elle discerna le visage de Quinn penché sur elle.

— Je réussi à l'abattre une seconde avant de couper le disjoncteur.

Elle sentit ses doigts tâtonner un instant juste au-dessus de sa tête. Puis Quinn émit un juron.

— Il s'en est fallu de peu, grogna-t-il d'une voix rauque. De très peu.

Il prit une courte inspiration et entreprit aussitôt de la délivrer des liens grossiers qui la retenaient prisonnière. Dès qu'elle sentit la corde se desserrer autour de ses poignets, Jan se redressa, impatiente d'échapper à sa torture. Sa tête heurta alors quelque chose de dur et elle retomba lourdement sur la plaque. Incapable de prononcer un mot, du bout des doigts, elle explora la surface de son crâne et sentit le métal froid de la roue à deux centimètres de sa tête.

— Quinn, sors-moi de là.

Des accents hystériques perçaient dans sa voix.

— *Sors-moi de là tout de suite !*

Déjà, Quinn l'avait saisie par les hanches et faisait glisser son corps le long de la plaque. Puis, la soulevant entre ses bras, il la serra contre sa poitrine et d'un pas assuré, commença à se frayer un chemin entre les ombres menaçantes des machines.

— Je peux marcher, protesta-t-elle faiblement.

— Chut… Laisse-toi faire.

Ils avaient atteint la porte de l'usine. Sans la lâcher, Quinn tâtonna le long du mur à la recherche de quelque chose. Mais soudain, il hésita.

— Il faut que je rebranche l'électricité et que je vérifie qu'Asquith est bien mort, déclara-t-il d'une voix calme. Cela ne prendra qu'une minute, mais je dois le faire. S'il vit encore, nous devrions sans doute lui porter assistance, bien que cette idée me répugne.

— Moi aussi, admit-elle.

Elle réprima un frisson.

— Mais tu as raison. S'il a seulement perdu connaissance, nous ne pouvons pas le laisser là.

Avec douceur, Quinn la posa sur ses pieds. Toutefois, avant de la laisser seule, il ne put se retenir de la serrer une nouvelle fois contre lui. Sa bouche rencontra la sienne et avec ferveur, presque avec désespoir, il l'embrassa.

— Je pensais t'avoir perdue. Pendant un moment, j'ai cru que tu étais morte, murmura-t-il, ses lèvres frôlant les siennes.

— Moi aussi, je t'ai cru mort, Quinn. Je ne suis toujours pas certaine que tu sois bien là.

Durant un bref instant, Jan revit les flammes s'élevant de la voiture dans la nuit.

— Comment as-tu réussi à survivre à l'explosion ? demanda-t-elle, tentant de rejeter cette image cauchemardesque de son esprit.

— Dès que tu es sortie de la voiture, j'ai pensé que je devais me préparer au pire, expliqua Quinn. Je me suis d'abord débarrassé de mon blouson de cuir, puis j'ai entrouvert la portière.

En repensant au morceau de cuir calciné qu'elle avait tenu dans ses mains, Jan eut un frisson rétrospectif.

— Quand la première balle a heurté la tôle, poursuivit Quinn, je me suis éjecté de la voiture et j'ai roulé sur moi-même pour m'en éloigner au plus vite. Je venais de me relever et j'allais tenter de te rejoindre quand l'explosion m'a plaqué au sol. J'ai alors dû perdre connaissance. Dès que je suis revenu à moi, la première chose que j'ai entendue, c'était cette machine en furie. Je n'avais pas la moindre idée de ce que c'était, mais j'ai tout de suite su que tu étais en danger.

— Je savais que j'allais mourir, Quinn.

Traversée par un nouveau frisson, elle se blottit un peu plus contre lui.

— Et j'avais décidé d'emmener Léon avec moi.

— Oui, j'ai eu le temps de le comprendre avant de l'abattre. On peut dire qu'on s'en est bien sortis, Jan.

Il emprisonna son visage entre ses mains.

— Je suis persuadé qu'il est mort sur le coup. Mais je préfère tout de même m'en assurer. Attends-moi ici. J'en ai pour une minute.

Une minute ? Elle l'attendrait une vie entière s'il le fallait.

Avant de se détourner à la recherche du tableau électrique, Quinn déposa un dernier baiser sur ses lèvres.

Puis soudain, la blancheur blafarde des néons inonda de nouveau l'immense atelier et presque simultanément, dans un vacarme assourdissant, la lourde presse s'écrasa sur le plateau métallique.

Quinn tourna vers elle un regard inquiet.

— Vas-y, Quinn. Tout va bien, à présent, dit Jan en esquissant un sourire. Fais ce que tu as à faire.

Tout en parlant, elle sentit sa peau se tendre douloureusement sur son visage. Passant les doigts sur sa joue, elle constata qu'ils étaient maculés de sang et de suie.

— Tu ressembles à Medb, ou Derdriu — une de ces splendides guerrières qui peuplent les légendes celtes…

La blancheur de son sourire contrastait de manière frappante avec la couleur de son propre visage, zébré de traînées noires.

— Je te trouve très belle, ajouta-t-il avec douceur.

Quinn soutint son regard quelques instants encore. Puis, les mâchoires serrées, il sortit son revolver de son holster et commença à avancer prudemment en direction de la machine infernale et de l'homme étendu au sol à quelques mètres de là.

Elle n'avait pas réussi à soutirer la moindre explication à Léon, se dit Jan en se détournant de la tâche qu'accomplissait Quinn. Contre le mur, à côté du tableau électrique, elle repéra une boîte blanche et métallique ornée d'une croix rouge, sans doute une trousse de secours. Elle y dénicha un petit flacon d'alcool encore scellé et une boîte de compresses stériles.

Quand Quinn la rejoignit, son visage était en feu et la compresse entre ses doigts était noire.

— Inutile de prévenir le Samu, se contenta-t-il de dire en enroulant ses bras autour d'elle. Viens, filons d'ici. Je crois deviner où Léon a caché son véhicule.

Dès qu'elle eut passé le seuil, il appuya une dernière fois sur le disjoncteur. Au même instant, dans un dernier à-coup et sans doute pour toujours, le vacarme infernal de la machine se tut.

— Est-ce qu'Asquith a avoué avoir posé cette bombe ? demanda Quinn.

Un bras autour de ses épaules, il commença à presser le pas le long des dalles de béton qui contournaient le bâtiment.

— Pas vraiment. Il a juste vaguement fait référence aux messages. Mais il s'est surtout étendu sur le fait que, par ma faute, les autorités lui étaient tombées dessus. Léon et Richard faisaient du trafic d'armes.

Quinn s'immobilisa un instant.

— C'était donc cela ! siffla-t-il entre ses dents. Non seulement, il t'en voulait parce que tu avais tué son frère, mais il te tenait également pour responsable d'avoir dévoilé ses activités au grand jour. Je comprends maintenant qu'il ait voulu faire de ta vie un enfer.

— Il me détestait, admit Jan. Mais étrangement, la haine insensée qu'il mettait dans ses reproches, la peur aussi, peut-être, m'ont soudain permis de voir les choses sous un autre angle, Quinn.

Elle riva son regard au sien.

— Avant, comme lui, je pensais que je devais être punie pour mes actes, quel qu'en soit le prix. Je me croyais capable d'avoir tué quelqu'un de sang-froid. J'étais devenue à mes propres yeux une criminelle pareille à ceux que je m'étais donné pour tâche de poursuivre et d'arrêter. Or, à présent, je suis persuadée du contraire.

Quelques flammes s'élevaient encore de la carcasse de la Ford et la faible lueur qu'elles projetaient dans la nuit lui permit de distinguer le soulagement qui traversa les traits de Quinn.

— Enfin ! s'exclama-t-il en s'immobilisant. Je ne savais plus comment te persuader. C'est pour cela que je t'ai menti, Jan... L'idée que tu te constitues prisonnière me rendait fou.

— Je sais.

Les yeux toujours rivés dans les siens, avec tendresse, elle pressa sa main sur le visage de Quinn.

— Je sais, Quinn. Je n'aurais pas dû t'en vouloir. Tu ne cherchais qu'à me protéger.

— Oui. Sauf que je t'ai presque laissée te faire tuer, gronda-t-il.

— Non, dit Jan en posant un doigt sur sa bouche. C'est moi qui ai failli nous faire tuer tous les deux. Dès le départ, tu étais farouchement opposé à ce plan.

— En fait, chacun de nous s'en est tenu à son rôle... Je pensais en garde du corps et toi en flic. A ta place, moi aussi j'aurais voulu coincer ce salaud, concéda-t-il. Mais à présent, il va falloir que tu disparaisses, Jan. Tarranova et Fitz ne sont pas fous. Dès qu'ils apprendront ce qui s'est passé ici, ils vont chercher à en savoir davantage sur toi. Ils ne tarderont pas à établir le lien entre toi et Jan Childs. Et le jour où ils viendront t'arrêter, je veux que tu te trouves à des milliers de kilomètres de là, sous une autre identité.

Ils avaient recommencé à marcher et contournaient à présent le bâtiment. Jan se réjouit que Quinn ne pût voir son expression tandis qu'ils s'avançaient dans l'ombre projetée par le mur. A l'évidence, il avait mal interprété ses intentions et paraissait toujours décidé à la protéger coûte que coûte des autorités et à lui organiser une nouvelle vie ailleurs.

— Nous, nous sommes arrivés par la route principale. Voici celle que devaient utiliser les employés.

Du doigt, il désigna un grand portail entrouvert, donnant sur un chemin creux.

— Asquith devait bien connaître les lieux.

— Oui. Il a dit qu'il était déjà venu, expliqua Jan.

— Je parie que sa voiture n'est pas loin — peut-être juste après le virage, derrière ces arbres.

Il scruta son visage du regard.

— Tu te sens capable de marcher jusque-là ? Tu trembles comme une feuille.

— Si tu me laisses seule ici, McGuire, je te garantis que ce sera pire.

S'efforçant de sourire, elle leva les yeux vers lui.

— Je mourrai simplement de trouille, ajouta-t-elle d'un ton sarcastique. Allons-y !

Dans d'autres circonstances, cette promenade nocturne aurait pu s'avérer fort agréable, songea-t-elle tandis qu'ils s'engageaient sur le chemin. Ainsi emmitouflée dans son gros caban, seule la fraîcheur de l'air sur ses joues lui rappelait que l'hiver était proche. Ralentissant le pas pour épouser son rythme, Quinn avait passé un bras autour de ses épaules. Lui n'avait que son jean et un simple T-shirt pour affronter le froid, mais il ne semblait pas conscient de la rigueur de la température. Jamais — jamais il ne comprendrait, se dit-elle, au désespoir. Depuis le début, et encore maintenant, il la croyait innocente. Comment lui expliquer que, pour l'essentiel, elle restait sur ses positions ?

Elle était toujours décidée à se rendre. Mais elle le ferait auprès des autorités de Raleigh, chez elle, et engagerait le meilleur avocat qu'elle pourrait s'offrir. Elle souffrait toujours du même handicap — elle n'avait aucun souvenir de ce qui s'était passé durant la nuit tragique où elle avait tué Richard Asquith. Cependant, elle avait suffisamment retrouvé sa confiance en elle à présent, pour savoir qu'elle n'aurait jamais commis un tel acte sans y avoir été absolument contrainte. Et elle voulait un procès équitable.

Le plus facile aurait été de continuer à se cacher et de recommencer ailleurs une nouvelle vie avec Quinn. Mais se soustraire à la justice allait à l'encontre de ses plus intimes convictions. Et son existence en aurait-elle été plus heureuse ? Elle ne voulait pas imposer une vie de fugitif à l'homme qu'elle aimait. Avant d'être en mesure de construire quelque chose avec lui, elle devait éclaircir la part d'ombre qui pesait sur son passé. Mais comment — comment le lui faire comprendre ?

— Je voudrais tant partir avec toi, n'importe où, Quinn, commença-t-elle d'une voix hésitante. Tant que tu seras à mes côtés, rien ne me paraîtra insurmontable. Mais…

Déroutée par le regard froid et métallique braqué sur elle, Jan sentit soudain le sol se dérober sous ses pieds. Quelque chose d'aussi menaçant que la gigantesque roue de tout à l'heure était de nouveau suspendu au-dessus de sa tête, prêt à écraser dans sa gorge les mots qu'elle venait de prononcer. Aurait-elle mal interprété ses intentions, elle aussi ? Quinn avait tout fait pour la sauver. Et quand il l'avait crue morte, il avait dit vouloir mourir à son tour. Aurait-elle rêvé ? Comment pouvait-elle le connaître si mal ? songea-t-elle, l'esprit révolté et le cœur broyé.

Le bras de Quinn retomba de son épaule.

— Je ne serais pas venu avec toi, Jan. Je pensais que tu l'avais compris, dit-il avec une pointe de dureté. Cependant, avant de repartir, j'ai besoin de savoir que tu es en sécurité.

— Avant de repartir…

D'une voix blanche, elle répéta ces quelques mots comme s'ils n'avaient aucun sens.

— Et après m'avoir déposée dans un bus comme un paquet et expédiée Dieu sait où, où comptes-tu aller exactement ?

— Je n'en sais rien encore…, commença-t-il.

Etreinte par une colère soudaine, Jan l'interrompit brutalement.

— Ce n'est pas Jane Smith que tu as en face de toi, McGuire. Tu ne peux pas m'évincer avec la même facilité. Je ne suis même plus la Jan Childs d'autrefois. Je suis simplement une femme qui pense mériter des réponses claires de la part de l'homme qu'elle aime et qui l'aime en retour. Parce que tu m'aimes, n'est-ce pas ?

Appliquant les deux poings sur ses hanches, elle se campa devant lui avec fermeté.

— Bon sang, Jan, s'exclama Quinn en la considérant d'un air stupéfait. Le moment est mal choisi pour…

— Où et quand veux-tu qu'on en parle, Quinn ? C'est maintenant ou jamais, puisque, d'après tes plans, nous n'en aurons plus guère l'occasion.

Les mâchoires soudain contractées, il détourna son regard du sien. Puis, comme malgré lui, ses yeux se posèrent de nouveau sur elle. Son attitude avait déjà perdu un peu de sa rigidité.

— Je ne peux pas me permettre de t'aimer, Jan. Je n'en ai pas le droit.

Il y avait une certaine dureté dans sa voix, mais celle-ci ne semblait pas dirigée contre elle.

— Je n'en ai jamais eu le droit, mais je…

Comme s'il en avait déjà trop dit, Quinn s'interrompit et serra les lèvres. Puis, après avoir pris une profonde inspiration, il se détourna d'elle.

— Allez, viens. On ferait mieux de trouver cette voiture et de partir d'ici.

Avant qu'elle ne trouve la force d'ouvrir la bouche, il avait déjà commencé à s'éloigner.

— Défi ou vérité, McGuire ? annonça-t-elle brusquement, les muscles tendus et les deux pieds toujours campés dans la terre.

Quinn tourna la tête et la fixa avec de grands yeux.

— Quoi ?

— Tu as très bien entendu. Défi ou vérité ?

Sous l'insistance du regard clair, Jan sentit son courage se désagréger, mais elle persévéra.

— Choisis, ordonna-t-elle d'un ton sec.

Quelque chose vacilla alors dans les yeux de Quinn. Son visage était blême. Si elle ne l'avait pas mieux connu, elle aurait dit qu'il avait peur.

— Je n'ai pas envie de jouer, dit-il d'une voix égale. Allons-y.

— Dans ce cas, je vais choisir à ta place, rétorqua-t-elle en le fixant avec intensité. Défi !

— Défi ? répéta Quinn, un sourire amer au coin de la bouche. De quoi au juste veux-tu me mettre au défi, Jan ?

— Je te mets au défi de m'expliquer ce que signifie cette histoire d'oies sauvages, Quinn, énonça-t-elle calmement. Parce que j'ai le sentiment que tout tourne autour de ce mystère.

— Tu es folle.

Sa voix était plus tranchante que jamais.

— Je t'ai déjà expliqué que c'était une simple légende… un mythe. Quel rapport cette histoire peut-elle avoir avec notre relation ?

— Je ne sais pas. Mais il y en a un. J'en suis certaine.

La tête inclinée sur le côté, elle le jaugea d'un air pensif.

— J'en suis tellement persuadée que je vais te proposer un marché, McGuire. Si tu m'expliques de quoi il s'agit, demain, j'irai mon chemin, ainsi que tu en as émis le désir. Sinon, dès ce soir, je me livrerai à Jennifer Tarranova.

Il la transperça du regard.

— J'ai toujours su que tu étais déloyale, Jan. Mais là, tu frappes vraiment en dessous de la ceinture.

— Déloyale ? répliqua-t-elle en haussant un sourcil. Disons que c'est la différence entre nous, soldat. Moi, je ne suis pas prisonnière d'un code d'honneur désuet. Pas lorsqu'il s'agit de nous, en tout cas. Alors, tu relèves le défi ?

— Je te répète qu'il n'y a rien à en dire.

Ses traits semblaient taillés dans la pierre.

— Ce n'est qu'une légende. Je te l'ai dit cent fois.

Elle avait joué et elle avait perdu, songea Jan, le regard toujours rivé sur lui. Jamais elle n'aurait pensé qu'il irait si loin pour protéger son secret.

A présent, elle savait à quoi s'en tenir.

Le feu intérieur qui, un instant plus tôt, l'animait fit place à un sentiment glacé. Elle haussa les épaules.

— Tu as gagné, McGuire, prononça-t-elle d'une voix métallique. Partons…

Le cou enfoncé dans les épaules, sans l'attendre, elle reprit sa marche le long de la petite route que baignaient les rayons blafards de la lune. Elle venait d'offrir son cœur à cet homme et lui venait de le lui renvoyer au visage comme s'il s'agissait d'une grenade sur le point d'exploser entre ses mains. Elle avait vu juste. C'était bien de la peur qu'elle avait lue tout à l'heure dans son regard. Une peur similaire à celle qu'elle avait décelée sur son propre visage ces derniers mois lorsqu'elle l'examinait dans un miroir — une peur qui puisait à la même source.

Quinn McGuire ne voulait pas qu'elle sache qui il était. Il ne voulait pas qu'elle sache ce qu'il avait fait. Pas étonnant qu'il ait si bien compris ce par quoi elle était passée…

S'il y avait encore un bus à destination de Raleigh ce soir, elle le prendrait, décida-t-elle. Peut-être qu'avec l'éloignement, l'image de Quinn s'estomperait peu à peu dans son esprit. Peut-être qu'à mesure que les kilomètres les sépareraient, elle cesserait d'avoir l'impression qu'on l'avait coupée en deux.

Derrière son dos, une voix s'éleva soudain dans la nuit.

— On dit que les oies sauvages sont les âmes des mercenaires qui sont tombés au combat. La légende raconte qu'ils sont condamnés à errer dans le ciel pour l'éternité, à la recherche du foyer qu'ils n'ont jamais eu.

Comme tétanisée, Jan se retourna. Quinn n'avait pas bougé. Il commença à avancer dans sa direction, mais ses yeux ne la voyaient pas. Ils fixaient loin dans le ciel la lune blafarde et presque pleine.

— Avant, je ne croyais pas à cette histoire, dit-il avec un sourire amer tout en continuant d'avancer. Enfin, pas vraiment, bien que nous, les Irlandais, accordions toujours une part de vérité aux légendes. Mais ensuite, l'un après l'autre, ils ont tous commencé à mourir, et alors, j'ai eu besoin de m'accrocher à quelque chose.

Il se tut. Lorsqu'il arriva là où Jan s'était arrêtée, il s'immobilisa à son tour et, comme s'il finissait par ressentir les effets du froid, enfonça les poings dans ses poches.

— Jack Tanner, dit-elle d'une voix douce en rivant son regard dans le sien. Paddy Doyle. Et un jeune homme du nom de Haskins.

— Je vois que vous avez mené votre petite enquête, inspecteur, ironisa Quinn.

Abandonnant sa contemplation, il la regarda droit dans les yeux.

— C'est Sully qui t'a parlé d'eux.

— C'est tout ce qu'il m'a dit... Que trois de tes compagnons avaient été tués et que leur mort avait été un terrible choc pour toi, dit-elle en soutenant son regard. Je ne sais rien d'autre.

— Il y en a eu bien d'autres, répliqua Quinn d'une voix dure. Mais ces trois-là, je ne peux oublier leurs visages. Jack est parti le premier, un soir un peu comme celui-ci. C'était un bon soldat, solide, calme, sauf que deux fois par an — le jour de l'anniversaire de sa femme et le jour de l'anniversaire de son petit garçon — il prenait une cuite mémorable. Une fois, il m'avait expliqué que c'était les deux seules soirées de l'année qu'il ne pouvait passer sans se soûler. J'ai découvert ensuite qu'il s'était engagé dans l'armée après qu'ils eurent tous deux péri dans l'incendie de leur maison.

— Pauvre homme, souffla Jan, le regard empreint de compassion. Comment peut-on se remettre d'un chagrin pareil ?

— Il a trouvé un moyen, rétorqua Quinn. Six mois plus tard, Tanner s'est porté volontaire pour détecter des mines le long d'un sentier avant que le reste des hommes ne s'y engagent. Il était presque arrivé au bout quand il a posé le pied sur l'une d'elles. Il est mort sur le coup. Cette nuit-là, dans une région du monde où elles ne passent jamais, j'ai entendu voler les oies sauvages.

Elle non plus ne croyait pas aux légendes, se dit Jan, mal à l'aise. Toutefois, elle sentit un frisson glacé lui parcourir la colonne vertébrale.

— Et Paddy Doyle ? s'empressa-t-elle de demander d'une voix étranglée, tentant de chasser le pressentiment qui montait en elle. Sullivan m'a dit que vous étiez très amis.

— Paddy, prononça Quinn d'un air songeur.

Malgré le chagrin qui marquait ses traits, un sourire se dessina sur ses lèvres.

— Un sacré bonhomme, dit-il en secouant la tête. C'était un Irlandais, lui aussi. Mais contrairement à moi, dès qu'il posait les yeux sur une fille, il fallait qu'il la séduise. Il adorait les femmes, et elles le lui rendaient bien. Paddy était une force de la nature.

Son sourire s'estompa.

— Mais un jour, sa chance l'a quitté, poursuivit Quinn d'un ton amer. Il a été assassiné par un rebelle. J'ai pu abattre le type mais quelques minutes plus tard, Paddy est mort dans mes bras. Lui aussi connaissait la légende — nous la connaissions tous — et avant de mourir, il m'a fait jurer de lever les yeux la prochaine fois que les oies passeraient dans le ciel.

— Et cette nuit-là, tu les as entendues de nouveau, dit-elle.

C'était une affirmation.

— Oui. Je les ai entendues passer, en plein été, dans une bourgade abandonnée des dieux, au milieu du désert. Je les ai entendues de manière très distincte. J'ai même cru voir leur ombre se profiler sur la lune immense et rouge.

Un coin de sa bouche se contracta.

— Je dois dire que ce soir-là, je m'était copieusement soûlé à la mémoire de Paddy. Le lendemain matin, je me suis dit que c'était le whisky qui avait provoqué cette vision.

— Mais tu n'as pas réussi à t'en convaincre, n'est-ce pas ?

Il rencontra brièvement son regard.

— Non. Je n'ai pas réussi à m'en convaincre, admit-il d'une voix radoucie.

Le pire était à venir, se dit-elle, effrayée. Elle tenta de se remémorer les propos de Sullivan.

« *Quinn se sent responsable pour chacun de ces gars. Mais le plus gros choc pour lui a été la mort de Haskins. Depuis, il n'attend qu'une chose : se faire tuer à son tour.* »

Soudain, elle s'en voulut de le forcer à revivre cette somme de souvenirs à l'évidence déchirants. De quel droit ? se demanda-t-elle avec colère. Dix fois, vingt fois, Quinn avait fait escale au cœur de l'enfer. Et elle, elle lui demandait de lui raconter son voyage. Comment pouvait-elle se montrer aussi insensible ?

Tout simplement parce qu'il le fallait, se dit-elle. Parce que Sully avait aussi dit que le seul espoir de sauver Quinn résidait dans son passé. Jan ne savait pas encore comment. Mais elle allait bientôt le découvrir.

— As-tu aussi réussi à abattre l'homme qui a tué Haskins ?

Semblant émerger de ses pensées, Quinn la regarda comme s'il avait oublié sa présence.

— Non, répliqua-t-il d'une voix posée. Pas encore.

C'était cela qui le poussait, comprit-elle dans un silence pesant. Quinn avait une dernière tâche à accomplir. Comme l'avait expliqué Sullivan, il se sentait responsable de la mort de chacun des hommes qui avaient combattu à ses côtés. Les venger représentait pour lui une véritable dette d'honneur.

Peut-être parce qu'elle était une femme, elle considérait que la vengeance était vaine et, au bout du compte, destructrice, quel que soit le vainqueur. Mais l'homme qui se tenait devant elle aurait donné sa vie pour accomplir sa promesse. Cette soudaine révélation fit monter en elle une colère sourde.

— Tu veux retourner le chercher pour le tuer, c'est cela ? gronda-t-elle, les bras croisés avec force sur sa poitrine, le menton dressé en signe de défi. Tu veux qu'il paye pour la mort de ce garçon. Mais qu'adviendra-t-il si tu meurs à sa place ? Combien d'autres morts faudra-t-il avant que le charme de cette légende stupide ne soit rompu, Quinn ? Et pourquoi est-ce *toi* qui dois t'en charger ?

— Si je repars, ce n'est pas pour chercher l'homme qui a tué Michael Haskins, rétorqua-t-il d'une voix blanche. Je n'ai pas besoin d'aller si loin. C'est moi qui l'ai tué.

Choquée par son ton glacial comme par le sens de ses propos, Jan recula d'un pas.

— Je ne comprends pas, murmura-t-elle, une main appliquée sur sa bouche. Tu… c'est toi qui l'as tué ? Pourtant, Sully m'a dit que sa mort t'avait affecté plus que tout. Il a dit qu'il avait peur que tu ne te laisses…

Les yeux écarquillés, elle s'interrompit. La lumière venait de se faire dans son esprit.

— Un de ces jours, il va vraiment falloir que je m'explique avec Sully.

Il y avait une pointe de colère dans la voix de Quinn.

— Michael Haskins n'aurait jamais dû s'engager, poursuivit-il. Pour lui, la vie de mercenaire avait un parfum romantique. Il voulait devenir écrivain. Nous l'appelions Hemingway...

« *Tout le monde se sent coupable. Tout le monde voudrait oublier un épisode de son passé...* » C'était ce que Quinn avait dit. A présent, Jan savait à quoi il avait voulu faire allusion. La mort de Michael Haskins était la part d'ombre dans le cœur de Quinn — la souffrance tapie au centre de son être.

Lors de leur première rencontre, elle avait eu l'impression qu'il était hanté par quelque chose. Elle ne s'était pas trompée.

— Tu n'es pas obligé de m'en parler si tu n'en as pas envie, dit-elle d'une voix posée.

— Tu es la seule personne à qui je puisse en parler, Jan.

Il fronça les sourcils.

— Même Sullivan ne connaît pas toute l'histoire. Maintes fois, j'ai tenté de briser la vision romantique qu'avait Michael de notre métier, sans jamais réussir à le persuader de partir. Alors, je suis allé voir l'homme qui nous avait engagés et je lui ai dit que Haskins était trop inexpérimenté, qu'il allait se faire tuer — ou faire tuer l'un des nôtres. Je n'avais rien trouvé de mieux pour le faire rentrer chez lui. Quoi qu'il en soit, on lui a remis sa paye et on l'a renvoyé. Je me sentais soulagé. Sans doute me rappelait-il un peu le jeune homme que j'avais été à son âge.

Quinn passa une main impatiente dans ses cheveux et détourna les yeux. Il avait beau être solide, songea-t-elle avec tristesse, personne ne pouvait endurer une telle souffrance indéfiniment.

— Ensuite, tout est allé très vite. Je ne le savais pas, mais entre-temps, Haskins s'était engagé dans l'armée ennemie. Quelques jours plus tard, j'ai fait feu pour pénétrer dans une de leurs lignes déjà fort affaiblie. Après la fusillade, le premier cadavre sur lequel j'ai trébuché était le sien.

S'interrompant, Quinn passa la main sur sa mâchoire d'un air las.

— J'ai parcouru les papiers que j'ai pu trouver sur lui et j'ai écrit à ses parents. Cette nuit-là, j'ai encore entendu un vol d'oies sauvages passer dans le ciel. Et depuis, je les entends tous les soirs.

— Mais pourquoi, Quinn ? Que veulent-elles ?

Retenant sa respiration, elle attendit sa réponse.

— Ce qu'elles veulent ? Elles veulent que je les rejoigne, tout simplement, répliqua-t-il, l'air un peu surpris. C'est la seule manière dont je pourrai racheter mes fautes, Jan.

— Mais tu étais soldat, Quinn. Tu n'as fait que ton devoir.

— Michael, lui n'était qu'un gosse.

Une rage soudaine résonna dans sa voix.

— Mon devoir ? Assassiner un gamin qui savait à peine tenir un fusil ? Tu vas aussi me dire que j'ai fait mon devoir en regardant ailleurs au moment où Paddy Doyle a été abattu ?!

Il plongea son regard dans le sien et, aussi vite qu'elle était venue, la colère disparut de ses yeux.

— Si seulement j'avais pu te rencontrer avant, Jan. L'homme que je suis devenu n'a aucun avenir à t'offrir. Je n'ai même pas le droit de te dire à quel point je t'aime. A quel point tes larmes me brisent le cœur et à quel point ton sourire le fait revivre. Mais je n'ai plus rien à donner, Jan — rien qui en vaille la peine, en tout cas.

— Je me contenterai de ce que tu peux m'offrir, McGuire, affirma-t-elle, les yeux toujours rivés dans les siens. Je ne suis pas non plus une très bonne affaire, tu sais.

— Ne dis jamais cela. Ne le pense même pas, tu entends !

En une enjambée, il franchit l'espace qui les séparait. Ses mains emprisonnèrent son visage et il la fixa avec intensité.

— Tu es la seule bonne chose qui me soit jamais arrivée. Mais maintenant, il va falloir que tu ailles ton chemin, mon amour. Et que tu m'oublies.

— Pourquoi ? murmura-t-elle, torturée par l'angoisse. Pourquoi, Quinn ? On peut faire autrement — on pourrait se construire un avenir tous les deux. Toi et moi...

— Je sais déjà ce que me réserve le futur. Je l'ai vu.

— Tu l'as *vu ?* murmura-t-elle, en proie à une angoisse grandissante.

Laissant ses mains retomber le long de son corps, Quinn la lâcha.

— Qu'est-ce que tu as vu, Quinn ?

Il ne répondait pas. Soudain, la douleur fut trop intense. Les larmes jaillirent et elle se jeta sur lui.

— Qu'est-ce que tu as vu ? Dis-le-moi ! hurla-t-elle, frappant son torse de ses paumes. Dis-le-moi, Quinn !

Agrippant ses poignets, il l'attira à lui mais c'était comme s'ils étaient déjà à des milliers de kilomètres l'un de l'autre.

— Dis-le-moi, Quinn, supplia-t-elle.

Avec difficulté, Jan reprit le contrôle de sa voix.

— J'ai besoin de le savoir.

— Je tombe au combat, Jan. On m'enterre dans une tombe anonyme et les oies sauvages viennent me chercher pour me ramener chez moi.

Ses yeux étaient aussi sombres que la nuit.

— Voilà mon avenir. Et voilà pourquoi je veux que tu partes.

13.

— Merci pour tout, Sully — et merci de m'avoir permis de passer la nuit ici, dit Jan en embrassant le vaste bureau du regard.

Ignorant la main qu'elle lui tendait, l'homme aux cheveux bruns l'attira à lui avant de refermer ses bras sur elle en une étreinte chaleureuse.

— Ce type a perdu la raison ! gronda-t-il. Laisser partir une femme comme vous… pauvre fou ! Dès qu'il aura compris que vous avez disparu de sa vie pour de bon, je parie qu'il viendra vous supplier de revenir.

— Il ne le fera pas, affirma-t-elle en s'arrachant doucement à son étreinte. Il a parlé d'une nouvelle mission. Il part demain soir, je crois. Peut-être que vous, vous parviendrez à l'en dissuader, Sully. Moi, je n'ai pas ce pouvoir.

Elle leva les yeux vers lui.

— Il m'a expliqué ce que signifiait la légende. Mais pour autant, je ne semble pas être celle qui le sauvera.

— Dans ce cas, personne ne le pourra, affirma le détective. Que dois-je répondre s'il me demande où vous êtes allée ?

— Vous pouvez lui dire la vérité, répondit-elle en haussant les épaules. De toute façon, vous en entendrez bientôt parler dans les journaux. Cette histoire va faire les choux gras des journalistes. Vous pensez : un flic corrompu qui se rend aux autorités en prétextant une amnésie !

Elle tenta d'esquisser un sourire. En vain.

— Ah, j'allais oublier…

En quelques enjambées, Terry traversa la pièce jusqu'à son bureau et en revint, un mince dossier à la main.

— Ces documents m'ont été faxés hier soir de Raleigh par un de mes gars. Ce sont des copies de vos propres notes concernant l'enquête que vous meniez avant la mort de Richard Asquith. Vous étiez sur les traces d'un tueur en série. Ne me demandez pas — ne me demandez *surtout* pas — par quel moyen nous avons mis la main sur ces informations, ajouta-t-il avec un sourire malicieux.

Cette fois-ci, Jan sourit en retour.

— Je les lirai durant le trajet en bus. Peut-être ces écrits parviendront-ils à réveiller ma pauvre mémoire.

Ouvrant le dossier, elle jeta négligemment un coup d'œil sur les toutes premières pages.

— *Etrangleur en série,* lut-elle, les sourcils froncés. Je me souviens de ces notes. Je les ai prises avant que ce trou noir n'avale mes souvenirs. En revanche, je ne me rappelle pas l'identité du coupable. Qui avons-nous arrêté pour ces crimes ?

Sullivan secoua la tête.

— Personne. Apparemment, vous n'avez jamais démasqué le meurtrier. Peut-être a-t-il été effrayé par l'ampleur que prenait l'enquête. En tout cas, les meurtres se sont arrêtés à peu près au moment où vous avez quitté Raleigh.

Intrigué par son expression, il la fixa d'un air perplexe.

— Qu'y a-t-il ? Vous vous souvenez de quelque chose ?

— Non, pas vraiment, répliqua-t-elle à voix lente. Cependant, j'étais certaine que cette affaire était close. Je ne me souviens pas des détails, mais j'étais persuadée qu'on avait arrêté ce type.

Elle referma le dossier et haussa les épaules.

— Mais à l'évidence, je me trompe.

— J'ai également obtenu d'autres informations, reprit Sullivan, d'ordre plus personnel cette fois. Elles concernent votre enfance, les endroits où vous avez vécu, les écoles que vous avez fréquentées, ce genre de détails. J'avais demandé à Al de dénicher tous les renseignements possibles vous concernant. Mais c'était il y a quelques jours, avant que vous ne recouvriez partiellement la mémoire.

De la tête, Sullivan désigna un dossier plus épais, posé en évidence sur son bureau.

— A présent, je suppose que ces informations ne vous seront plus très utiles.

— D'après les souvenirs d'enfance que j'ai pu rassembler, je pense pouvoir dormir sur mes deux oreilles sans en savoir plus, répondit Jan d'un ton sec. Mais je vous remercie tout de même, Sully.

Elle consulta sa montre.

— Je ferais mieux d'y aller si je veux passer à l'hôpital avant le départ du bus.

— Je doute qu'ils vous autorisent à voir Carla Kozlikov. Aux dernières nouvelles, son état s'était légèrement amélioré, mais il demeure très critique.

Le regard de Sullivan se durcit. Après avoir ouvert la porte de son bureau pour la laisser passer, il lui emboîta le pas sur l'épaisse moquette du couloir.

— Ce salaud d'Asquith ! Sa mort a été trop douce.

— Je regrette surtout de ne pas avoir réussi à lui soutirer plus d'informations. Mais j'ai eu peu de temps pour réfléchir avant le rendez-vous qu'il m'avait fixé. Quinn était furieux, ajouta-t-elle avec un sourire désespéré. Tâchez de vous occuper de lui, Sully. C'est un homme bien.

— C'est surtout un imbécile, résuma Sullivan. Mais moi aussi, je l'aime bien. Je vous promets d'essayer de le dissuader d'accepter cette mission.

— Il m'a dit qu'il savait ce que lui réservait l'avenir, qu'il l'avait vu…

Posant une main sur la manche de Sullivan, elle hésita.

— Il… il a dit qu'il tomberait au combat et serait enterré dans une tombe anonyme. Il y croit vraiment, Sully.

— Et ensuite, que son âme rejoindrait un vol d'oies sauvages…

Sullivan ferma les yeux un instant.

— Cette foutue légende ! ajouta-t-il.

— Vous les avez déjà entendues, Sully ?

L'étreinte de ses doigts se resserra sur la manche de l'élégant costume.

— Est-il possible que ce ne soit pas qu'une légende — qu'il y ait une part de vérité dans cette histoire ?

Sans répondre, Sullivan enfonça la main dans la poche de son pantalon. Quand il la ressortit, un petit coquillage en forme d'éventail, avec en son centre un trou aux contours parfaits, reposait au creux de sa paume ouverte.

— Je l'ai trouvé il y a des années. Et depuis, je le porte toujours sur moi.

— Qu'est-ce que c'est ? demanda Jan en avançant une main hésitante en direction du coquillage.

Du bout du doigt, elle en effleura la surface. Polie par le temps, elle était douce comme de la soie.

— C'est une sorte de talisman. « *La flèche qui pourfend le ciel en plein jour, la peste qui rampe dans le noir — ceci me rappelle que je suis protégé contre ces fléaux.* » Psaume 91, ajouta-t-il, remarquant sa confusion. Une fois, je l'avais égaré. J'ai refusé de monter dans l'hélicoptère qui nous attendait jusqu'à ce que je l'aie retrouvé. Quinn était hors de lui.

Il lui adressa un bref sourire, referma les doigts autour du coquillage et l'enfouit de nouveau dans sa poche.

— Maintenant, vous savez que moi aussi je suis superstitieux. Mais oui, je crois les avoir entendues une fois.

Ce n'était pas la réponse qu'elle avait espérée. Comme ils atteignaient le hall de réception, elle se tourna vers lui.

— Promettez-moi une chose, Sully.

Une main sur la porte, elle s'interrompit. Une ombre inquiète passa dans son regard.

— S'il a besoin de moi un jour, appelez-moi. Je n'ai aucune idée de ce que je vais devenir, mais tant que je vivrai, je jure que je trouverai le moyen d'aller à lui. Promettez-le-moi, Sully.

Celui-ci hocha lentement la tête.

— Je vous le promets. Jan, c'est sérieux pour vous, n'est-ce pas ?

— Oui, répondit-elle en plongeant son regard dans le sien.

Un sourire angoissé déforma sa bouche.

— C'est l'homme de ma vie. Et j'étais la femme de sa vie. Je crois que je l'ai toujours su, de même que j'ai toujours su qu'au bout du compte, cela ne changerait rien…

Sully aurait tenu parole, songea-t-elle tandis qu'une demi-heure plus tard, après un court trajet en métro, elle allongeait le pas en direction de l'hôpital. Mais jamais — jamais il n'aurait l'occasion de l'appeler. Elle le savait aussi bien que lui. Un jour, il recevrait une lettre ou peut-être l'apprendrait-il de la bouche d'un de leurs vieux camarades. Et, comme Quinn l'avait fait le soir de leur première rencontre, Terry organiserait une veillée funèbre privée à la mémoire de son ami. Mais sans doute ne l'en informerait-il pas. Et d'une certaine manière, c'était aussi bien comme ça.

Ainsi, elle conserverait toujours l'image vivante de Quinn dans son cœur. Même dans cinquante ans, il lui suffirait de fermer les yeux pour voir son visage aussi clairement que s'il se tenait devant elle — pour voir ce sourire qui avait toujours eu le pouvoir de la faire craquer. Jamais elle ne voulait savoir que la mort l'avait pris. Et certains soirs d'automne, en entendant passer le vol des oies sauvages, elle s'interdirait de lever les yeux.

Comme elle approchait de l'enceinte de l'hôpital, Jan pressa le pas. Son bus partait dans une heure et bien que la gare routière ne fût qu'à trois stations de métro de l'hôpital, elle devait encore dénicher la chambre de Carla dans le dédale des étages.

Sully avait sans doute raison. Ils ne la laisseraient pas rendre visite à son amie. Mais elle ne pouvait quitter Boston sans au moins se renseigner quant à l'évolution de son état. Elle savait que Gary lui en voulait pour ce qui était arrivé à sa compagne. Même avant l'explosion, il lui avait clairement reproché de mettre Carla en danger. Et la veille, à l'hôpital, il avait repoussé avec colère ses gestes de réconfort.

Mais Gary se trompait de coupable. La seule personne à blâmer pour ce qui était arrivé à Carla, c'était Léon. Les deux frères Asquith s'étaient révélés être de sombres personnages, se dit-elle avec tristesse. Autant Léon, rongé par sa haine et sa cupidité obsessionnelles, que Richard, à cause de ses penchants sadiques envers les femmes.

« Les meurtres se sont arrêtés au moment où vous avez quitté Raleigh. »

Soudain, les paroles de Sully résonnèrent dans son esprit et, au beau milieu du trottoir, Jan se figea. Elle ne remarqua même pas la femme qui, agacée, dut faire un écart pour l'éviter.

Elle s'était sentie étrangement décontenancée quand Sully lui avait appris que l'Etrangleur en série n'avait pas été capturé. Sans pouvoir s'appuyer sur une base concrète, Jan avait malgré tout eu le sentiment que cette information était fausse. Mais si on n'avait procédé à aucune arrestation, qu'est-ce qui avait bien pu la persuader que l'affaire de l'étrangleur était close ?

Et si elle avait déjà découvert son identité sans en avoir encore fait part à ses supérieurs ? Si l'homme qu'elle soupçonnait était quelqu'un de fortuné et de puissant, un des piliers de l'économie locale, et qu'elle voulait s'assurer que ses soupçons étaient fondés avant même de mentionner son nom dans ses notes… surtout si c'était son fiancé ?

C'était plausible. Galvanisée par une soudaine montée d'adrénaline, Jan reprit sa marche tandis qu'une foule d'hypothèses défilaient dans son esprit. Léon n'avait-il pas lui-même reconnu que les tendances sexuelles de son frère étaient étranges, voire cruelles ? Or les méthodes du meurtrier faisaient penser à certains supplices sexuels. Le tueur ne violait pas les femmes qu'il choisissait pour victimes. Il entravait leurs membres avec des lanières en cuir, puis les battait à mort avant de les étrangler. Et après la disparition de Richard, il avait apparemment cessé de frapper. Aurait-elle eu l'imprudence d'exposer ses soupçons à Richard, ce soir-là ? Quelque détail dans l'attitude de son fiancé serait-il alors venu confirmer ses doutes ? La conversation s'envenimant, elle avait très bien pu brandir son arme dans le but de l'arrêter. Ensuite, peut-être n'avait-elle pas eu d'autre choix que de l'utiliser ?

Si la scène s'était déroulée comme elle l'imaginait à présent, aucun jury au monde ne la condamnerait. Mais, surtout, elle aurait la conscience tranquille.

— Jan…

Fébrilement absorbée dans ses pensées, elle sursauta avant de lever les yeux et d'apercevoir Gary, debout près de l'entrée de l'hôpital. Vêtu d'une simple chemise de coton, il avait replié sa veste sur son avant-bras et du bout des doigts, comme inconscient de leur présence, il tenait, tête en bas, un bouquet de fleurs dans sa main gauche. A l'instant où elle rencontra son regard, Jan sentit son cœur dégringoler dans sa poitrine.

Le visage de Gary était zébré de larmes, sa bouche déformée par une grimace de douleur. Il contempla les fleurs d'un œil hagard et les laissa tomber sur le trottoir.

— Carla… elle est morte, Jan. Elle n'a pas survécu.

— *Gary. Non !* s'écria Jan en portant la main à sa bouche. Oh, Gary, je suis désolée… désolée.

A l'évidence, il venait seulement d'apprendre la terrible nouvelle, se dit-elle, bouleversée. Vêtu avec autant de soin que pour une première rencontre, muni d'un bouquet, Gary était sans doute venu jusqu'ici avec l'intention de rendre visite à la femme qu'il aimait. Ses chaussures, et même sa ceinture, brillaient comme un sou neuf.

Mais au lieu de cela, Gary avait appris qu'il ne reverrait jamais sa Carla. Tandis qu'elle le considérait avec compassion, les épaules parcourues de violentes secousses, il laissa tomber sa tête sur sa poitrine.

— Oh, Gary…

Jan fit un pas dans sa direction et à l'instant où les premiers sanglots éclatèrent, la gorge serrée, elle enroula ses bras autour de lui.

— Je ne trouve pas les mots pour te dire combien je suis désolée.

Des gens passaient devant eux, mais à part quelques rares regards de sympathie, la plupart évitaient soigneusement le spectacle de la détresse de Gary. Sachant qu'aucun mot ne pourrait apaiser le chagrin de cet homme, Jan se contenta de le garder serré contre son cœur. Il avait besoin que quelqu'un le prenne dans ses bras et s'occupe de lui, se dit-elle avec tristesse tout en tapotant son dos comme on le fait pour consoler un enfant malheureux. Il devait se sentir si seul, si dépossédé…

...Exactement comme par le passé, quand la ceinture qui ceignait sa taille — et dont la boucle s'ornait d'un camion étincelant — tailladait sa chair avec une telle cruauté...

Sous ses doigts, Jan sentait le renflement des épaisses cicatrices à travers la fine chemise de coton.

Et comme si une clé venait de faire sauter l'ultime verrou qui emprisonnait encore ses souvenirs, le dernier maillon manquant se mit soudain en place dans son esprit.

Comme tétanisée, elle se raidit, espérant aussitôt que Gary n'avait pas remarqué sa réaction.

— Tu t'en souviens, n'est-ce pas ? murmura-t-il.

Sa bouche était juste contre son oreille et l'étreinte de ses mains se resserra sur elle.

— J'ai une arme sous ma veste, Petite Puce. Ma voiture est sur l'avenue Anderson. On va tranquillement marcher jusque-là, toi et moi.

— Tu ne voudrais surtout pas me faire de mal, Gary... *Garnet.*

— Tu as raison. Je n'ai jamais souhaité te faire le moindre mal. Pas même quand tu as oublié tout ce que nous avions été l'un pour l'autre et que tu as voulu *me détruire,* Petite Puce.

Une intonation inquiétante perçait dans sa voix.

— Alors, avance, et dépêche-toi. Cette rue grouille de victimes potentielles sur lesquelles je peux tirer sans aucun état d'âme. A toi de choisir, Jan.

Il avait déjà tué six femmes de sang-froid, songea-t-elle, l'esprit comme paralysé. Si elle le poussait dans ses retranchements, il n'hésiterait pas à abattre tous les badauds qui passeraient à portée de son arme.

Pourtant, jadis, il avait été son ami, son seul ami — comme elle, un enfant terrifié, et vulnérable. Ne restait-il donc rien de ce petit garçon ?

Lentement, avec précaution, elle s'écarta de lui juste assez pour rencontrer son regard. Les yeux de Garnet étaient encore emplis de larmes.

— Pourquoi, Garnet ? demanda-t-elle avec douceur. *Pourquoi ?*

Il pressa un instant ses paupières l'une contre l'autre. Quand il rouvrit les yeux, il la fixait avec une intensité glacée. Non, se dit-elle, il ne restait rien — rien de l'enfant qui avait été son ami. Tout ce qui restait, c'était l'homme qu'il était devenu — le résultat démentiel d'années de cruauté et d'abus.

— Parce que tu sais qui je suis, dit Garnet avec dureté. *Et parce que tu sais ce que j'ai fait.*

— Oui, je sais, Sully ! répliqua Quinn d'un ton exaspéré. Mais je reviens de la gare routière, et elle n'y était pas. J'ai attendu jusqu'à ce que le bus de Raleigh soit parti, mais elle n'est pas venue. Quoi ? Non, je suis dans ton bureau.

Il se tut un instant et poussa un soupir.

— Je ne sais pas. Je suppose que j'avais envie que l'on se dise adieu correctement. Tu es sûr qu'elle n'avait pas l'intention de se constituer prisonnière auprès de Tarranova ? Oui, c'est ce que je vais faire. Je te rappelle sur ton portable si j'ai des nouvelles.

Après avoir raccroché violemment le combiné, Quinn s'enfonça de nouveau dans le fauteuil de cuir noir. Ses yeux parcoururent un instant la pièce sans la voir. Depuis l'aube, il se débattait avec les questions de Tarranova. Fitz avait insisté pour qu'il les accompagne à l'usine Bilt-Fine. Quand il était arrivé là-bas, la carcasse de la conduite intérieure fumait encore au milieu de la cour et le corps de Léon Asquith était toujours allongé au même endroit, mais ce spectacle n'avait nullement dérangé Quinn. Tout ce qu'il avait vu en revenant dans cette pièce, c'était la mince silhouette de Jan, attachée à cette satanée machine, et il ne parvenait pas à chasser cette image de son esprit.

Il avait été si près de la perdre... Et ensuite, il s'était détourné d'elle et l'avait laissée partir. Mais si c'était à refaire, il recommencerait.

Cependant, il avait éprouvé le besoin de la revoir une dernière fois. Sans même lui faire savoir qu'il était là, il aurait seulement voulu la regarder partir. Tout ce qu'il avait espéré, c'était de saisir le reflet auburn de ses cheveux, l'éclat de son regard bleu profond et l'image de sa silhouette mince et altière avant qu'elle disparaisse de sa vie pour toujours.

Il n'avait même pas eu droit à cela.

L'infirmière de l'hôpital avec qui il s'était entretenu quelques minutes plus tôt lui avait assuré que Carla Kozlikov n'avait reçu aucune visite aujourd'hui, en dehors de celle de son fiancé. Pourtant, son état s'était amélioré et les visites étaient autorisées.

Une demi-heure plus tôt, au moment où Quinn franchissait la porte du bureau de Moira, la précieuse secrétaire de Sullivan, celle-ci s'entretenait au téléphone avec Gary Crowe. Il l'avait entendue indiquer à Gary que Jan était en route pour l'hôpital et avait haussé un sourcil interrogateur. Après avoir raccroché, Moira lui avait expliqué que celui-ci cherchait à joindre Jan. Il voulait s'excuser, avait-il dit, pour sa réaction de la veille.

Mais Jan ne s'était pas rendue à l'hôpital. Elle n'avait pas non plus pris le bus pour Raleigh. Il ne restait qu'une dernière hypothèse — qu'elle ait changé d'avis et décidé de se rendre aux autorités de Boston. Quinn retint un juron. En ce moment, Jan devait être assise dans le commissariat, en train d'écouter un policier lui lire ses droits et en train de lui répondre qu'elle y renonçait. Avant la nuit, elle serait derrière des barreaux et c'était exactement ce qu'il aurait voulu lui éviter. Cette affaire était de mauvais augure — tous les indices l'accablaient. Quinn croyait en la justice de son pays, mais sa foi n'était pas aveugle.

A l’heure qu’il était, Jan avait peut-être déjà signé son arrêt de mort.

D’une main fébrile, il chercha au fond de sa poche la carte que Tarranova lui avait remise la veille. Décrochant une nouvelle fois le téléphone, il composa son numéro, tomba sur le répondeur, et laissa un message succinct à son intention. Puis, retombant contre le dossier du fauteuil, il se demanda avec angoisse ce qu’il pourrait faire d’autre pour retrouver la trace de Jan.

Sur le bureau encombré de papiers de Sully — ce type était vraiment un rustaud, se dit-il avec un léger dégoût — il repéra un dossier à moitié dissimulé sous un agenda ouvert à la mauvaise page. Quinn l’attira négligemment à lui et reconnut aussitôt le nom gribouillé par l’écriture exécrable de Terry. Son intérêt soudain éveillé, il ouvrit la chemise cartonnée et parcourut les premiers paragraphes de notes dactylographiées. Avec une pointe de déception, il ne tarda pas à comprendre qu’il ne s’agissait pas de nouveaux indices concernant le meurtre de Richard Asquith. Ces informations faisaient essentiellement allusion à l’enfance de Jan. Ce n’était pas ce genre de renseignements qui allaient l’aider à la retrouver. De plus, il se sentait un peu indiscret, mais en même temps, considérant cette trouvaille comme un cadeau tombé du ciel, il décida de poursuivre sa lecture.

A part dans son imagination, et jusqu’à son dernier souffle, il ne la reverrait jamais. Quel mal y avait-il à ce qu’il étaye le souvenir de la femme qu’il aimait par tous les renseignements concrets dont il pourrait disposer ?

Elle avait été bonne en anglais, mais apparemment nulle en géographie, ce qui semblait étrange étant donné les multiples déracinements que lui avait imposés sa mère instable. Georgie. Wyoming. Vermont… Les lèvres de Quinn se pincèrent. Marie Childs semblait avoir trimballé sa petite fille à travers tout le pays, sans jamais s’inquiéter du fait qu’elle fréquentât deux ou trois écoles différentes au cours d’une même année. Chaque fois, elle s'était contentée de suivre le dernier homme qui occupait ses pensées.

Tout à coup, la sonnerie de la ligne privée de Sully retentit. De manière distraite, et les yeux toujours rivés sur la page ouverte devant lui, Quinn décrocha.

— McGuire ? C'est Jennifer Tarranova. Que se passe-t-il ?

Sa voix était un peu brutale, affairée, mais dénuée de l'agressivité à laquelle il aurait pu s'attendre si Jan était déjà passée aux aveux.

— Rien de très important, répondit Quinn, dissimulant son inquiétude. Mais après vous avoir quittés, vous et Fitz, je suis rentré chez moi et Jane…

Il avait presque failli dire Jan, remarqua-t-il avec contrariété.

—… Jane n'était pas là. Je me demandais si elle n'était pas passée me chercher au commissariat.

— Vous m'avez prise pour une agence de rendez-vous ? grogna Tarranova à l'autre bout de la ligne. Non, McGuire, je ne sais pas où est votre amie. Je suis à l'hôpital et j'ai d'autres soucis pour l'instant.

Ce n'était pas de la brusquerie qu'il avait détectée un peu plus tôt dans sa voix. C'était de la colère. Toutefois, il sentait que celle-ci n'était pas dirigée contre lui.

— Que se passe-t-il ? demanda-t-il aussitôt. Je croyais que l'état de Carla Kozlikov s'était nettement amélioré…

— Oui, oui, elle va s'en sortir. Ce n'est pas à son sujet que je m'inquiète.

Elle s'interrompit brusquement.

— Mais peut-être ferais-je mieux de vous prévenir. C'est au sujet du fiancé de Carla.

— Crowe ? demanda Quinn, troublé.

— Gary Crowe n'est pas son vrai nom. En fait, cela fait très peu de temps qu'il connaissait Carla, annonça Tarranova. On a fait une enquête sur lui, comme sur toutes les personnes qui avaient eu accès à l'appartement de Jane avant que la bombe ne soit posée.

— Vous êtes sûre de ces renseignements ?

Fermant les yeux, Quinn tenta de revoir la scène qui s'était déroulée dans le studio de Jan lors de sa première rencontre avec Carla et Gary.

— Kozlikov a mentionné une célébration, quelque chose comme un anniversaire de mariage, dit-il, perplexe.

— Un anniversaire très prématuré, dans ce cas, rétorqua Tarranova. Gary Crowe a connu Carla à l'hôpital où elle travaillait il y a à peine deux mois. Il lui a raconté qu'il venait rendre visite à un proche hospitalisé. Mais je suis persuadée que c'était un mensonge, comme tout ce qu'il a bien voulu nous faire croire.

Que voulez-vous dire ? demanda Quinn.

Un frisson désagréable venait de s'installer au creux de son estomac.

— A propos de quoi a-t-il menti à part cela ?

— Eh bien, il a omis de mentionner le fait qu'il avait été dans l'armée dont il a été renvoyé après avoir été dégradé, expliqua Tarranova. Et il a aussi oublié de nous préciser qu'il était expert en explosifs. Je suis persuadée que c'est lui qui a posé cette bombe. Ce que je ne parviens pas encore à déterminer, c'est pourquoi il en voulait à ce point à Jane. C'est sans doute lui, son agresseur, mais quelque chose m'échappe.

— Je ne comprends pas très bien non plus, s'empressa de répondre Quinn. Mais ce n'est pas le moment de lui chercher un mobile, inspecteur. J'ai bien peur que Crowe n'ait déjà trouvé Jane.

En quelques mots, il exposa la situation à Jennifer Tarranova, tout en gardant pour lui la véritable identité de Jan. Pour l'instant, il fallait la retrouver au plus vite, et pour cela, personne n'avait encore besoin de connaître son nom.

— Dès que j'obtiens le numéro de sa plaque d'immatriculation, je lance un mandat d'arrêt le concernant. Nom de nom, ce salaud se moque de nous depuis le début !

La voix naturellement posée de Tarranova s'échauffait.

— Ne vous inquiétez pas. On va le coincer, McGuire. Et quand on l'aura trouvé, je vous promets qu'on ne le ménagera pas. Pendant les dix ou vingt prochaines années, Gary Crowe, ou Garnet Vogel, quel que soit son nom, ne posera plus une seule bombe, croyez-moi.

— Garnet Vogel ?

L'impression désagréable au creux de son estomac se mua en un sentiment de panique.

— Oui. C'est le nom sous lequel il s'était engagé. Je vous appellerai à ce numéro dès qu'on aura mis la main sur lui, McGuire. On va la tirer de là. D'ici à quelques minutes, un escadron entier sera sur les traces de ce type !

Elle raccrocha et Quinn reposa doucement le combiné sur le bureau de Sullivan. Un escadron de police au complet ne serait pas suffisant, songea-t-il. Mais Tarranova avait raison sur un point : Garnet se moquait bien d'eux, et il avait toujours une longueur d'avance. Et maintenant, il avait Jan !

Durant un instant, son esprit, envahi par une terreur qu'il n'avait jamais ressentie pour lui-même, cessa de fonctionner. Ce salaud détenait Jan. A présent, c'en était fini des petits jeux — cette fois-ci, il allait la tuer. Elle allait mourir d'une manière horrible, en sachant que l'homme qui avait juré de veiller sur elle l'avait abandonnée… sans aucune protection.

Réunissant ses idées, Quinn s'imposa de réfléchir avec calme. Il devait se montrer logique, rationnel, aborder la situation comme un combat stratégique. Son armée se constituait d'un seul soldat, lui. Et l'ennemi, c'était Vogel.

Où avait-il pu la conduire ? Un homme qui harcelait sa victime depuis des semaines, la terrorisant sans relâche, n'allait pas se contenter de l'emmener dans la première impasse pour l'y achever. Non, il voyait sa mort comme le dernier acte d'une tragédie soigneusement orchestrée, comme une apothéose. Et il n'en choisirait pas le scénario au hasard…

Son regard se posa sur le dossier qui était devant lui. Jan et ce forcené avaient jadis vécu ensemble dans une petite ville du nom de Ferlan, à environ une heure de Boston. Quinn pressa le bouton de l'Interphone.

— Moira, pouvez-vous demander à un de vos gars de mettre un véhicule à ma disposition ? Avec un réservoir plein et un téléphone, s'il vous plaît, dit-il d'une voix pressante. Et passez-moi les archives municipales de Ferlan, Connecticut. J'ai besoin d'une adresse dont l'ancienneté remonterait à une douzaine d'années.

Après avoir raccroché, il se dressa vivement sur ses pieds et repassa la liste de ce dont il avait besoin dans sa tête.

Il n'avait pas d'arme. Ce matin, il avait dû remettre la sienne à Fitz pour que le service de balistique puisse faire son rapport concernant le décès de Léon Asquith. Et en l'absence de Sullivan, il n'avait aucun moyen de s'en procurer une autre. En revanche, il saurait où trouver l'ennemi, et plus important encore, il allait bénéficier de l'effet de surprise durant la confrontation qui l'attendait. Il ne pouvait prendre le risque de perdre cet atout en alertant les autorités.

Quinn venait de déclarer une guerre. Et même au prix de sa vie, il était déterminé à la gagner.

14.

— On est arrivés chez nous. Allez, Petite Puce, réveille-toi. On ne peut pas passer la nuit là.

Jan ouvrit péniblement les paupières. Une douleur sourde battait à ses tempes et elle avait le cœur au bord des lèvres. Pourquoi Garnet l'obligeait-il à se lever ? se demanda-t-elle, irritée. Maman lui avait-elle demandé de l'aider à se préparer pour l'école ?

Garnet ouvrit la portière et l'air froid qui s'engouffra dans la voiture lui fit aussitôt recouvrer ses esprits. Se redressant d'un bond, elle s'assit bien droite sur le siège et retomba aussitôt en arrière avec un haut-le-cœur.

— Je t'ai laissée dormir aussi longtemps que possible. Mais la dernière fois, il a fallu un certain temps pour que ton corps s'accoutume aux drogues, tu t'en souviens ?

Il y avait une pointe d'inquiétude dans sa voix, comme s'il se souciait de sa santé. Prise d'une nouvelle nausée, elle ouvrit la portière et pencha la tête à l'extérieur du véhicule. D'une main, il l'agrippa soudain par les cheveux. L'autre devait toujours tenir le revolver, se dit-elle dans un vertige.

— Mais peut-être que tu ne t'en souviens pas ? ajouta-t-il d'une voix suave.

— Si… si, je m'en souviens, Garnet.

Tout en s'essuyant la bouche du revers de sa manche, elle leva sur lui un regard glacé.

— Je me souviens de tout, à présent. Où sommes-nous ?

— Chez nous. Viens, je vais te montrer, dit-il en agitant le revolver dans sa direction.

Lentement, Jan sortit de la voiture et se retint un moment à la carrosserie le temps que ses jambes parviennent à la porter. La lumière du jour allait s'amenuisant, mais elle distingua aisément les contours d'une clairière. Ils étaient loin de la ville, dans un coin de campagne isolé.

— La maison était juste derrière cette colline. Je l'ai fait raser quand j'ai acheté la propriété il y a un an.

Garnet fronça les sourcils.

— Le terrain était recouvert de pins, tu te rappelles ? Mais ils étaient déjà vieux à l'époque où nous vivions ici. Ils ont dû être abattus par une tempête.

— C'est ici que nous vivions ? demanda Jan en regardant autour d'elle, incrédule, la clairière jonchée de troncs morts et de branches cassées.

Par endroits, l'écorce s'était arrachée, dévoilant le bois pâle, semblable à des ossements de soldats abandonnés sur un champ de bataille.

— Fais attention ! Certaines de ces branches sont de véritables pieux.

Elle avait failli glisser et Garnet l'agrippa par le bras pour l'empêcher de trébucher.

— Une fois, je me suis blessé, ici. Tu te souviens du jour où on avait essayé de faire de la colle avec de la résine de pin ? Mes vêtements étaient tout tachés !

— Non, Garnet, je ne m'en souviens pas.

Il l'avait amenée ici pour la tuer. Elle le savait. Mais auparavant, Garnet semblait vouloir faire un voyage dans le temps en sa compagnie. Il était malade, bien sûr — malade au point d'avoir accompli les actes les plus ignobles.

— Papa m'avait tanné le cuir ce jour-là. C'est ce qu'il disait toujours, tu t'en souviens ? « Je vais te tanner le cuir, mon garçon. » Et il ne s'en privait pas.

Garnet secoua la tête.

— Pour sûr, il le faisait. J'ai cherché à le retrouver il y a quelques années, tu sais.

— Pourquoi ? demanda Jan. Tu disais toujours que quand tu serais grand, tu ne le reverrais plus jamais.

S'il avait envie de parler, il fallait le laisser faire, songea-t-elle. Et même l'y encourager. Elle devait à tout prix gagner du temps — gagner du temps avant de trouver la force de lui arracher son revolver. Parce que, pour l'instant, elle n'arrivait même pas à tenir sur ses jambes.

— Oui, mais je disais aussi que j'aimerais être assez grand pour pouvoir le tuer.

Il sourit.

— Eh bien ! J'ai fini par grandir et alors, je lui ai rendu une petite visite.

— Et tu l'as tué.

C'était une affirmation. Jan connaissait déjà la réponse.

— Oui. Mais avant, avec sa propre ceinture, je lui ai un peu tanné le cuir, comme il aimait le faire avec moi.

Du menton, il désigna la boucle étincelante qui ornait sa taille.

— Après l'avoir tué, j'ai pris la ceinture et je l'ai emportée avec moi.

— Tu es devenu comme lui, Garnet… Tu es devenu pire que lui, s'écria-t-elle, de manière impulsive. Ce que tu as fait à ces femmes…

— Ce n'est pas *moi* qui ai fait cela, c'est *lui !* gronda-t-il. J'ai essayé de te le dire quand tu as cherché à m'arrêter, mais tu n'as pas voulu m'écouter…

Il s'interrompit brusquement.

— Il ne faut pas que tu me mettes en colère, Jan, reprit-il d'une voix radoucie. Je ne veux surtout pas te faire de mal.

Puis l'expression de son visage se transforma une nouvelle fois.

— J'étais si heureux de te retrouver quand on s'est croisés dans ce café. On s'est reconnus tout de suite, tu t'en souviens ? On s'est bien amusés pendant quelque temps, hein ?

Sa voix avait pris un ton mélancolique. Et pendant une fraction de seconde, elle y avait reconnu un timbre familier à son oreille, comme la musique d'une voix enfantine — celle du petit garçon qui se glissait hors de son lit et dans le sien quand leurs parents se battaient.

Après toutes ces années, elle avait été si heureuse de le revoir ! Ainsi qu'elle l'avait confié à Quinn, elle s'était toujours demandé ce qu'il était advenu de Garnet, après leur séparation. Et à l'époque de cette rencontre fortuite, elle s'était réjouie d'avoir retrouvé un grand frère.

Mais peu à peu, Jan avait commencé à remarquer certaines choses.

Au début, ce n'étaient que d'infimes incohérences — Garnet lui assurait qu'il avait quitté la ville durant quelques jours, alors qu'elle était persuadée de l'avoir aperçu au hasard d'une rue. Ses prétendues disparitions coïncidaient toujours avec les meurtres commis par l'Etrangleur en série.

A vrai dire, quand elle avait vu la première victime — une pauvre femme lacérée à coups de ceinture —, elle avait aussitôt pensé à lui. Ce spectacle horrible avait fait resurgir de sa mémoire les souffrances de Garnet. Mais longtemps, elle avait refusé de croire que le garçon peureux qu'elle avait aimé comme un frère était devenu un adulte capable de telles ignominies.

Le voisin de palier d'une des six victimes avait fourni à la police une description assez détaillée du suspect. Cet indice ne pouvait constituer une preuve, mais il avait hélas suffi à persuader Jan.

Le profil qu'elle avait fini par établir du meurtrier correspondait en tout point à celui de son demi-frère. Venant s'ajouter aux mensonges invraisemblables de Garnet, la description du témoin l'avait finalement contrainte à ouvrir les yeux.

Mais, refusant d'y croire tout à fait, elle lui avait encore donné une chance de s'expliquer. Et les dénégations offusquées de Garnet avaient un tant soi peu dissipé ses doutes — ou plutôt, elle s'en rendait compte à présent, son cœur avait tout fait pour les dissiper. Mais Garnet avait compris qu'elle ne s'en tiendrait pas là et comparerait une fois de plus tous les indices. Ce n'était plus qu'une question de temps et bientôt, elle lancerait un mandat d'arrêt contre lui. Cette nuit-là, sachant qu'elle devait y passer la soirée, il s'était introduit chez Richard. Au moment où celui-ci avait quitté la pièce, Garnet s'était glissé hors de sa cachette et l'avait assommée avec la crosse de son revolver. Sans doute était-ce lui qui avait ensuite tué Richard.

Elle arrivait directement de son travail, se souvint Jan, l'esprit comme engourdi. Il devait savoir qu'elle portait une arme et il l'avait utilisée pour tuer Richard. Il avait donc planifié à l'avance de la faire accuser pour ce meurtre. Mais dans ce cas, pourquoi l'avoir emmenée avec lui ?

Elle ne se souvenait pas très bien du voyage cauchemardesque qu'ils avaient fait ensemble après l'assassinat de Richard. Elle avait juste l'impression qu'il avait duré des jours et des jours, et qu'à chaque fois qu'elle commençait à émerger de la torpeur et du brouillard infligés par les drogues, il immobilisait la voiture pour lui administrer une nouvelle injection. Mais grâce aux embouteillages légendaires de Boston, un jour, l'opportunité de s'échapper s'était présentée…

Coincé depuis un bon moment entre trois files de véhicules, Garnet n'avait pas eu la témérité de lui injecter une nouvelle dose de sédatif sous les yeux des autres conducteurs. Une fois réveillée, elle avait continué de simuler l'inconscience. Puis, rassemblant tout son courage, elle avait fini par entrouvrir la portière et avait rampé hors du véhicule.

Garnet n'avait pas osé la poursuivre. La file des voitures dans laquelle il se trouvait avait recommencé à avancer et, soucieux de ne pas se faire remarquer, il avait suivi le mouvement. Dans sa panique, elle s'était précipitée au milieu du flot des véhicules et avait continué de courir jusqu'au moment de l'accident qui lui avait ôté la mémoire.

L'air à présent excédé, Garnet attendait sa réponse.

— Oui, Garnet, on s'est bien amusés, répondit Jan, s'arrachant à ses pensées. Mais, dis-moi, pourquoi m'as-tu emmenée avec toi ? Après le meurtre de Richard, tu aurais pu te contenter de me laisser sur place. La police m'aurait trouvée là et sans doute arrêtée.

— Pourquoi ? Parce que je voulais que tu viennes vivre ici avec moi.

Il avait l'air surpris.

— Je voulais nous construire une maison et on aurait été tous les deux, comme avant, sauf qu'il n'y aurait pas eu d'adultes. Et puis, tu n'aurais pas pu me quitter puisque tout le monde allait penser que tu étais une meurtrière. Tu serais restée avec moi pour toujours. Mais tu t'es enfuie et j'ai compris que mon rêve ne se réaliserait pas.

Une grimace déforma sa bouche.

— Le plus dur a été de faire semblant d'être amoureux de cette gourde de Carla. Il a fallu faire vite. Pour ne pas éveiller les soupçons, il fallait que je sois déjà installé avec elle avant que tu n'emménages. C'est moi qui l'ai persuadée de t'aider à obtenir ce studio. J'avais un peu peur que tu me reconnaisses. Mais tu n'as pas cillé en me voyant.

— Les messages, l'agression de Martine ? C'était toi ?

Garnet hocha la tête.

— Et la bombe qui a explosé chez moi, c'était toi aussi ? demanda-t-elle encore, les yeux écarquillés.

— Rien de plus facile. J'avais le détonateur dans ma poche. Enfin, je n'avais pas prévu que je serais blessé aussi, ajouta-t-il en fronçant les sourcils. Une petite erreur de calcul, je dois le reconnaître. Mais le reste de mon plan a fonctionné à merveille : le coup de téléphone à Léon, pour lui apprendre où se cachait l'assassin de son frère. Il a pris le premier avion pour Boston.

Il étouffa un rire.

— C'est toi qui as prévenu Léon ! s'exclama Jan avec colère. Et l'agression que j'ai subie au pub de la Trinité, dans ces horribles toilettes ?

— Je t'ai suivie jusqu'au pub avant de rejoindre Carla à la salle de sport. Ensuite, je l'ai emmenée voir un film dans un cinéma proche de la taverne. Dès les premières images, je me suis excusé et j'ai quitté mon siège. Je suis allé au pub et j'ai fait ce que j'avais à faire. En revenant, j'ai dit à Carla que j'avais eu du mal à retrouver notre rangée dans le noir et elle n'y a vu que du feu.

Garnet eut soudain l'air atterré.

— Je suis désolé, Jan. Vraiment désolé. Je ne voulais pas te faire de mal. Je voulais seulement te faire peur. Cette sale corde devait être plus solide qu'elle n'en avait l'air. Enfin, l'Irlandais est arrivé à temps, c'est le principal.

Il venait de mentionner Quinn ! Une vague de douleur la traversa, ravivant des souvenirs qu'elle s'était jusque-là efforcée de tenir à distance.

Quinn ne saurait sans doute jamais ce qui lui était arrivé. Il penserait qu'elle avait disparu pour recommencer une nouvelle vie quelque part, comme il l'avait souhaité. En tout cas, elle l'espérait. Le fait de ne plus jamais le revoir, de ne plus jamais le toucher, de ne plus jamais entendre sa voix chaude à son oreille tandis qu'ils faisaient passionnément l'amour suffisait à la déprimer.

Elle ne voulait pas qu'il sache qu'elle était morte. Le fardeau de Quinn était déjà suffisamment lourd à porter.

Parce qu'elle allait mourir, elle le savait. Elle n'était toujours pas en état de maîtriser Garnet et leur petite promenade à travers la propriété semblait toucher à sa fin. Il venait de s'arrêter sur une parcelle un peu moins encombrée de branches mortes et de troncs pourris…

— Voilà, Jan, prononça-t-il à mi-voix. C'est là que tout a commencé. Et c'est là aussi que tout va finir. J'aurais préféré que les choses se passent autrement.

— Moi aussi, Garnet, dit-elle en le regardant dans les yeux. Tu es sûr que c'est la seule solution ?

Il faisait presque nuit, à présent. Au-delà du carré de terre au centre duquel ils se tenaient se profilaient les silhouettes fantomatiques des arbres morts. Plus loin encore, c'était la forêt, peuplée d'érables et de chênes suffisamment robustes pour avoir survécu à la tempête qui avait abattu les pins. Rien de tout cela ne lui semblait familier. Ce lieu n'avait jamais représenté pour elle un véritable foyer. Une vague de nostalgie la traversa. Son foyer, c'était une paire de bras puissants, un regard gris plongé dans le sien et une voix qui, chaque fois, faisait chavirer son cœur…

Jamais plus elle ne reverrait son foyer.

— Tu ne m'as pas cru quand j'ai dit que ce n'était pas moi qui faisais ces choses. Tu voulais me punir. Tu t'es retournée contre moi, Jan.

Garnet la poussa brutalement devant lui.

— Oui, c'est la seule solution. Avance de dix mètres et arrête-toi !

Elle allait fermer les yeux, se dit-elle. Au moment où elle se retournerait vers lui, elle presserait ses paupières l'une contre l'autre. Et au lieu de ce paysage désolé, sa dernière vision serait celle d'un grand gaillard accoudé à une fenêtre en train de regarder de minuscules moineaux s'installer pour la nuit. La dernière image qui lui parviendrait serait celle de Quinn. Il n'y avait rien d'autre qu'elle voulût emmener avec elle dans ce voyage au cœur des ténèbres.

Les paupières déjà closes, Jan se retourna et sourit. Elle parvenait presque à croire qu'il était avec elle. Elle parvenait presque à *sentir* sa présence à son côté.

— Adieu, Jan.

Elle entendit le petit déclic du percuteur et sentit l'air froid du mois de novembre sur sa joue. C'étaient les dernières sensations qu'elle éprouverait.

— Vogel !

Soudain, elle ouvrit les yeux. Le revolver de Garnet était pointé sur elle, mais son regard fixait la large silhouette qui, depuis la lisière sombre des arbres, avançait à présent vers eux. C'était Quinn, franchissant à grandes enjambées la distance qui les séparait.

Il était venu la sauver. Elle refoula un petit rire plus proche du sanglot hystérique que de la joie pure. Il n'était pas sur un cheval blanc et son jean et son T-shirt n'avaient rien de l'armure étincelante des chevaliers. Pourtant, c'était un chevalier — un *preux* chevalier — qu'elle voyait approcher à grands pas.

— Je te propose un marché, Vogel…

Quinn était maintenant suffisamment près pour ne plus avoir besoin d'élever la voix.

— Prends-moi à sa place. Avant qu'elle n'ait atteint Ferlan à pied, l'aube pointera. D'ici là, tu pourrais être à mi-chemin du Mexique ou déjà arrivé au Canada. Ils ne t'attraperont jamais. Qu'en dis-tu ?

— Quinn, non ! hurla Jan.

Elle tenta de faire un pas en avant, mais, prise d'un vertige soudain, elle vacilla sur ses pieds et manqua de s'effondrer.

— Qu'est-ce qui vous fait croire que je ne la tuerai pas après m'être débarrassé de vous ? demanda Garnet, intrigué, sans le quitter des yeux.

— Vous n'avez pas envie de tuer Jan. Il faut juste que quelqu'un meure ici, à cet endroit précis. C'est la seule façon dont vous pourrez soulager votre mémoire, n'est-ce pas ?

Quinn s'exprimait d'une voix compréhensive, rassurante. Il avait ralenti le rythme de son pas mais continuait toujours d'avancer vers eux.

— Vous devriez profiter de mon offre, Vogel, tant qu'il est encore temps.

— Je vous fais remarquer que c'est moi qui ai le revolver, rétorqua Garnet.

Les dernières lueurs du crépuscule disparaissaient à vive allure et elle avait du mal à discerner l'expression de Garnet. Mais on aurait dit qu'il souriait.

— Je n'ai nul besoin d'accepter votre marché, McGuire. Et si vous n'y voyez pas d'inconvénient, je pense que je vais décliner votre offre.

Si Quinn s'était engagé dans cette discussion, c'était pour gagner du temps, comprit Jan avec une soudaine appréhension. Maintenant, il n'était plus qu'à cinq ou six mètres de Garnet. Ce dernier ne s'en doutait peut-être pas, mais elle savait que, revolver ou pas, Quinn avait l'intention de se jeter sur lui.

— Cela suffit, McGuire, arrêtez-vous…

Avant même que les mots n'aient fini de franchir ses lèvres, Quinn avait bondi. Garnet appuya aussitôt sur la détente, mais déjà, Quinn roulait sur lui-même jusqu'à lui. En un mouvement fluide, il se redressa et l'instant d'après, les deux hommes luttaient sauvagement.

— Cours, Jan ! *Cours !*

Son hurlement rauque lui fit aussitôt recouvrer ses esprits. Lui, en revanche, semblait avoir perdu la raison, se dit-elle, furieuse, tout en avançant d'un pas mal assuré dans leur direction. S'il croyait qu'elle était le genre de femme à prendre ses jambes à son cou en le laissant affronter seul…

Mais soudain, la terre se déroba sous ses pieds et elle sentit qu'elle tombait en avant.

— Jan !

Sa vision se brouilla et tout en s'écroulant au sol, elle vit *deux* Quinn la fixer d'un air angoissé. *Deux* Garnet échapper aux bras puissants qui les emprisonnaient. Et deux mains se lever, brandir un revolver et tirer deux coups dont l'écho lugubre se perdit aux confins de la clairière obscure.

Une fraction de seconde avant de perdre connaissance, sa vision s'éclaircit. Elle vit la tête de Quinn basculer en arrière. Elle vit du sang gicler autour de lui…

… puis elle vit le seul homme qu'elle eût jamais aimé s'effondrer sous ses yeux au moment où une nuit noire s'abattait sur la campagne.

Un odeur de terre parvint à ses narines. Elle en sentait même le goût dans sa bouche. Avec effort, Jan souleva la tête et cracha un peu de terre. Cet infime mouvement lui donna la nausée, mais elle ne ressentait plus aucun vertige. Elle ouvrit les yeux puis, lentement, se mit à genoux.

La lueur de la lune, pleine et parfaitement ronde dans le ciel, inondait la clairière. A quelques mètres d'elle, elle aperçut Garnet. Il lui tournait le dos et elle ne parvint pas à distinguer ce qu'il faisait.

Quinn devait être mort. Il *était* mort, c'était certain. Elle l'avait vu s'écrouler, touché à la tête par la balle meurtrière tirée par Garnet. Il n'y avait plus d'espoir... Son univers venait de s'effondrer pour toujours. A présent, elle n'avait plus rien à perdre. Courbée comme une vieille femme, Jan se redressa lentement sur ses jambes. Du coin de l'œil, elle surveillait Garnet. Il se déplaça un peu sur le côté et elle comprit soudain ce qu'il était en train de faire.

La lumière froide et impitoyable de la lune révéla un rectangle de terre fraîchement remuée. Garnet Vogel était en train de combler une tombe.

La tombe de Quinn !

— Je vais te tuer, Vogel.

Les lèvres de Jan étaient desséchées et sa gorge pleine de terre. Chancelante, elle avança d'un pas dans sa direction.

Garnet sursauta et regarda autour de lui d'un air surpris. Puis, il éclata d'un rire démentiel et elle sut avec certitude que l'enfant qu'elle avait connu jadis était mort depuis très, très longtemps. Déposant la pelle qu'il tenait à la main, il se baissa pour ramasser le revolver posé à quelques centimètres de lui.

— Tu es aussi folle que lui, Petite Puce. Tu ne crois tout de même pas que tu vas arriver à me tuer ?

Les mains reposant tranquillement le long de son corps, il secoua la tête d'un air incrédule.

— Oui, je suis folle, aussi folle que lui. Et je ne m'appelle pas « Petite Puce », Vogel, gronda-t-elle en continuant de marcher vers lui.

Plantant l'un après l'autre ses pieds dans la terre, elle avançait d'un pas lourd et assuré.

— Mon nom est Jan Childs. Je suis flic. Tu as assassiné l'homme que j'aime. Et je vais te tuer.

— Cela m'étonnerait, Jan.

Brandissant le revolver, il tira à l'aveuglette.

Une brûlure fulgurante lui déchira aussitôt le bras et elle vacilla un instant sur ses jambes — un instant seulement. Ensuite, avec précaution, elle remit un pied devant l'autre et continua d'avancer.

— Je suis flic. Tu as tué l'homme que j'aime. Et je vais te regarder mourir, Vogel, prononça-t-elle d'une voix blanche.

Ses cheveux, mêlés de terre et de feuilles, retombaient en broussaille sur ses yeux. Mais cela n'avait aucune importance. Rien n'avait plus d'importance, désormais.

Garnet avait une expression étrange. Ce n'était pas de la peur. Pas encore... Mais sous peu, il serait terrorisé, se dit-elle.

Il tira une deuxième fois, et elle faillit trébucher.

La balle lui avait frôlé une côte. Sentant une chaleur poisseuse se répandre sur son flanc droit, Jan ferma son esprit à la douleur. Après une brève inspiration, elle serra les dents et fit encore un pas.

— Tu as tué l'homme que j'aime, gronda-t-elle avec effort.

Vacillant sur ses jambes, elle fit un autre pas, puis un autre.

— Tu vas mourir, Vogel...

A travers les mèches collées sur ses yeux, elle l'observait avec intensité. Maintenant, il avait peur, se dit-elle, satisfaite. Bouche bée, les yeux écarquillés, il la fixait. Quand il appuya de nouveau sur la détente — une fois, puis deux — sa main tremblait.

— Son nom était Quinn, Quinn McGuire, murmura-t-elle d'une voix rauque, sentant la douleur s'étendre dans sa cuisse.

Cette fois, elle n'allait pas réussir à la repousser.

— Il était… c'était l'homme que j'aimais. Et à présent, je vais te regarder mourir, Vogel.

Garnet la dévisageait comme s'il était face à un fantôme — et c'était peut-être le cas, se dit-elle, l'esprit embrumé, puisqu'elle avait perdu sa seule raison de vivre.

Soudain, elle vit les doigts de Garnet se raidir et lâcher le revolver. Il commença à reculer.

— Tu devrais être morte ! siffla-t-il entre ses dents.

A présent, *c'était* de la peur qu'il y avait dans sa voix.

— Pourquoi n'es-tu pas morte ?

Le visage recouvert d'un masque de terreur, il recula d'un autre pas.

— N'approche pas ! Ne t'approche pas de…

Ses pieds se prirent dans une branche morte et il trébucha. Son regard horrifié toujours braqué sur elle, il tomba aussitôt à la renverse. Elle vit alors un spasme le secouer, puis aperçut le pieu acéré qui saillait de son buste.

— Papa ? murmura-t-il.

La voix était celle d'un enfant à présent.

— Papa, s'il te plaît — je ne l'ai pas fait exprès. Je t'en supplie, ne me frappe pas… Ne me frappe pas…

Elle s'était trompée, songea Jan en rencontrant le regard apeuré qui vacillait au fond des yeux noirs. L'enfant qui avait été son ami, son refuge, n'avait pas complètement disparu. Tout à coup, il venait de réapparaître, au moment même où Vogel était en train de rendre l'âme.

Faisant un effort de volonté pour rester campée sur ses jambes, elle baissa les yeux et le regarda.

— Tout va bien, Garnet, haleta-t-elle d'une voix rauque. Tout est fini. Tu peux dormir, maintenant…

Les yeux noirs se fermèrent, puis une dernière convulsion agita la maigre silhouette. Enfin, tout était fini.

Se détournant, Jan commença à marcher d'un pas mal assuré vers la clairière. Hélas, elle avait le sentiment cruel qu'aucune de ses blessures n'était mortelle. S'immobilisant, elle porta la main à sa cuisse brûlante. Et là, soudain, elle les entendit.

Puissant, menaçant, le son venait de loin, de très loin et de très haut dans le ciel. Son sang se figea dans ses veines. Elle leva la tête et examina les cieux. Elles étaient là, en formation triangulaire. Par larges mouvements concentriques et réguliers, leur vol descendait droit sur la clairière.

« Je meurs au combat. On m'enterre dans une tombe anonyme. Et les oies sauvages viennent me chercher pour m'emmener avec elles... »

Une rage glacée se diffusa dans ses veines.

— Non. Non ! Soyez maudites !

Rauque, sauvage, son hurlement résonna alors comme un cri de guerre.

— Vous ne l'aurez pas !

Déjà, ses doigts s'enfonçant avec frénésie dans la terre meuble, elle était à genoux devant la tombe. Il n'avait pas eu le temps de creuser un trou profond, se dit-elle, avec l'impression de perdre la raison. Oui, *oui,* il y avait encore une chance !

Au-dessus de sa tête, le bruit des ailes s'intensifiait, se rapprochait. Elle ne savait plus si elle l'entendait vraiment ou si elle était victime d'une hallucination. L'un après l'autre, elle sentait ses ongles se casser et la douleur brûler son épaule comme un tisonnier chauffé à blanc. Mais inlassablement, elle continuait de creuser, rejetant sur le côté des mottes de terre de plus en plus grosses.

— C'est l'homme que j'aime qui est là-dessous. C'est l'homme que *j'aime !*

Elle sanglotait. Des larmes brûlantes se mêlaient à la crasse qui recouvrait son visage. Un liquide chaud et humide collait tout le côté droit de sa chemise à sa peau. Le long de sa cuisse, elle sentait le sang couler sur son jean. Et au même rythme que les battements d'ailes qu'elle entendait approcher, ses mains fébriles continuaient de fouiller la terre, encore et encore, semant aux quatre vents des poignées de terre et de feuilles…

… et soudain, elle sentit quelque chose de dur sous ses doigts. Avec précaution à présent, elle en écarta la terre et aperçut des cheveux. Une masse noire et poisseuse en obscurcissait l'éclat. Quinn était couché face contre terre.

Elle sentit son cœur se briser.

— Oh, Quinn, murmura-t-elle, son poing appliqué sur sa bouche. Quinn… non.

Du bout des doigts, elle explora le crâne ensanglanté à la recherche du trou dans lequel s'était logée la balle. Elle sentit un long sillon, sur tout le côté droit de sa tête. Enfonçant ses doigts plus profondément dans la plaie, elle se mit à trembler

Etait-il possible que la balle n'ait pas traversé les os du crâne ? Etait-il possible qu'il fût toujours *vivant ?*

Avant cela, elle avait creusé avec rage. Mais à présent, comme une véritable machine et à une vitesse prodigieuse, elle écartait d'énormes masses de terre et de feuilles. En quelques secondes, elle était parvenue à dégager l'intégralité de son corps. L'univers entier semblait empli de bruit et de fureur — empli du souffle toujours plus puissant au-dessus d'elle, du cri aigu et sinistre qui emplissait l'air et du sentiment désespéré que le temps allait lui manquer.

Il restait encore un peu de terre collée aux vêtements de Quinn, mais elle décida de l'ignorer. D'une main, elle empoigna le dos de sa ceinture et de l'autre, au niveau de la couture, l'épaule de son T-shirt. Dédaignant la douleur qui lui transperçait l'épaule, celle de ses bras dont les muscles semblaient prêts à éclater et celle, plus cuisante encore, à son flanc, elle le hissa alors jusqu'à elle. Tout à coup, le corps inanimé de son amant fut sur la terre ferme, au bord de la tombe. Exténuée, Jan retomba en arrière.

Mais l'instant d'après, elle s'était redressée et le retournait face au ciel.

Le sang rouge foncé qui maculait son crâne avait ruisselé jusqu'à son arcade sourcilière. Ses lèvres étaient serrées l'une contre l'autre, ses cheveux, noirs de terre et son visage, aussi blanc qu'un linge.

Alors, soudain, elle comprit.

Il était mort. Il avait dit ce que lui réservait le futur, et il ne s'était pas trompé. Pour la défendre, il était tombé au combat. On l'avait enterré dans une tombe anonyme. Et déjà, son âme s'élevait vers le ciel à la recherche du foyer qu'il n'avait jamais eu…

Les poings serrés, Jan leva les yeux sur un ciel vide. Mais elle était persuadée d'entendre encore les battements de leurs ailes semblant s'éloigner à l'unisson.

« Mais il *a* un foyer. Son foyer, c'est *moi !* »

Comme la plainte déchirante d'un animal blessé, son cri transperça la nuit et les larmes se mirent à inonder son visage.

— Sa place était auprès de moi, auprès de moi ! hurla-t-elle une nouvelle fois en abattant ses deux poings sur la poitrine inerte de Quinn.

Soudain, un râle étouffé sortit de la gorge de Quinn.

Jan se figea.

Lentement, avec difficulté, il roula sur le côté et cracha un peu de la terre qui s'était logée dans sa bouche. Puis, s'appuyant avec précaution sur son coude droit, il la regarda.

Un de ses yeux était fermé par du sang coagulé. Mais l'autre rencontra son regard incrédule.

— Jan ! Tu… tu es vivante, prononça-t-il d'une voix rauque.

Un éclair de lucidité traversa son regard et au prix d'un effort considérable, il tordit le cou pour regarder par-dessus son épaule.

— Il est mort, Quinn. Et bien mort.

Etrangement, elle ne trouvait plus les mots qu'elle aurait voulu dire.

Il tourna la tête vers la tombe creusée à côté de lui.

— Que s'est-il passé ? Qu'est-ce que c'est que toute cette terre ? demanda-t-il en considérant ses vêtement d'un air perplexe.

— Tout s'est déroulé comme tu l'avais prédit. Tu es tombé au combat, Quinn. Et les oies sauvages sont venues te chercher. Sauf… sauf que je ne les ai pas laissées t'emmener.

— Tu ne les as pas laissées m'emmener ?

Un coin de sa bouche se tordit en un sourire douloureux.

— Dieu du ciel ! La légende n'a jamais mentionné une chose pareille. Elle n'a jamais parlé d'une femme assez folle et obstinée pour ne pas les laisser faire.

— Qu'importe. Tout s'est passé comme tu l'avais dit et le charme est rompu, à présent.

Sa voix trembla.

— Elles ne viendront plus te chercher, désormais, n'est-ce pas ?

Il jeta un regard en direction de la lune puis, une lueur de joie dans les yeux, il les posa de nouveau sur elle.

— Non, elles ne viendront plus. L'histoire a été racontée jusqu'au bout. Ce n'est plus qu'une légende à présent.

Redressant le buste à la force de son coude, il se pencha vers elle, et la serra contre lui comme s'il voulait ne plus jamais la laisser partir.

— Ce qui nous laisse toute la vie pour nous aimer, annonça-t-il d'une voix rauque, la bouche enfouie dans ses cheveux. Tu crois que tu pourrais être heureuse avec un Irlandais qui n'a rien d'autre à t'offrir qu'un cœur meurtri ?

— Je crois que oui, McGuire, murmura Jan au moment où sa bouche se posait sur la sienne.

Comme il la serrait plus fort contre lui, elle étouffa un gémissement.

— Qu'y a-t-il, mon amour ? Tu es blessée ? demanda aussitôt Quinn d'une voix inquiète.

— J'ai reçu plusieurs balles. Une dans le bras, une dans la cuisse, et une dans une côte, je crois, dit-elle en se mordant les lèvres. Quinn, je ne sais pas si je pourrai marcher jusqu'à la voiture.

Après avoir poussé un juron, un peu chancelant, Quinn se dressa sur ses pieds. Puis, se penchant vers elle, il l'aida à se relever et la serra dans ses bras.

— Ne t'inquiète pas, mon amour, prononça-t-il d'une voix douce comme une caresse. Je vais te ramener à la maison.

Haut dans le ciel, un vol d'oies sauvages regarda Quinn McGuire quitter son dernier champ de bataille, la femme qu'il aimait serrée entre ses bras puissants.

Épilogue

Dans l'enceinte du grand mur en pierre qui entourait le couvent se trouvait un minuscule cimetière. Seuls de gros blocs de calcaire blanc érodés par le temps indiquaient l'endroit où reposaient ceux qui y étaient enterrés. Devant l'un d'eux, contrastant de manière incongrue avec l'austère paysage hivernal, s'épanouissait un énorme bouquet de fleurs exotiques. L'homme à l'imposante stature qui venait de l'y déposer s'agenouilla devant la tombe. Semblant chercher ses mots, il passa une main dans ses cheveux courts.

— Bon, dit-il enfin. Je compte sur vous pour inscrire en grosses lettres la mention « payée » sur ma facture. Je me permets tout de même de vous dire que lorsque vous me l'avez envoyée, j'ai trouvé votre geste quelque peu inconsidéré. Toutefois, voici bientôt un an que je l'ai acquittée et j'espère que vous voilà satisfaite.

Ce fichu vent d'hiver lui embuait les yeux, songea Quinn avec irritation. Du revers de sa manche, il les essuya, et s'éclaircit la gorge.

— En chemin, j'ai rencontré une femme assez folle pour refuser de me laisser mourir. Ceci devrait vous rappeler quelqu'un, ma sœur.

Un sourire fugitif traversa son visage hâlé.

— Je l'aime plus que tout, reprit-il d'une voix grave. Et voici la raison primordiale de ma visite. Je suis venu jusqu'ici pour vous demander si nous pouvions utiliser votre prénom, ma sœur. Après en avoir discuté ensemble, Jan et moi avons tous deux eu envie d'appeler notre petite fille Bertille quand elle naîtra. J'ai pensé que ce choix ne vous dérangerait pas. Mais par égard pour votre souci des convenances, je me suis dit qu'il valait mieux vous en demander l'autorisation.

Après avoir gardé le silence quelques minutes, lentement, il se releva. Son regard s'attarda un moment encore sur la pierre blanche. Pour seules inscriptions, elle comportait un nom, et deux dates, celle de la naissance de sœur Bertille et celle de son décès. C'était succinct, songea Quinn. Très succinct. Mais il savait qu'elle n'aurait pas souhaité y ajouter un mot de plus.

— Dieu vous garde, ma sœur, murmura-t-il.

Se détournant enfin de la tranquillité de la tombe, il leva les yeux et, d'un pas vigoureux, se hâta en direction de la grille devant laquelle l'attendait la femme qui représentait à ses yeux tous les trésors de l'univers.

Chère lectrice,

Vous nous êtes fidèle depuis longtemps?
Vous venez de faire notre connaissance?

C'est pour votre plaisir que nous avons imaginé un rendez-vous chaque mois avec vos auteurs préférés, vos AUTEURS VEDETTE *dans les collections* Azur *et* Horizon.

Les AUTEURS VEDETTE *vous donneront rendez-vous pour de nouveaux livres vedette.*

Pour les reconnaître, cherchez l'étoile... Elle vous guidera!

Éditions Harlequin

LE FORUM DES LECTEURS ET LECTRICES

CHERS(ES) LECTEURS ET LECTRICES,

VOUS NOUS ETES FIDÈLES DEPUIS LONGTEMPS?

VOUS VENEZ DE FAIRE NOTRE CONNAISSANCE?

SI VOUS AVEZ DES COMMENTAIRES, DES CRITIQUES À FORMULER, DES SUGGESTIONS À OFFRIR, N'HÉSITEZ PAS… ÉCRIVEZ-NOUS À:

LES ENTERPRISES HARLEQUIN LTÉE.
498 RUE ODILE
FABREVILLE, LAVAL, QUÉBEC
H7R 5X1

C'EST AVEC VOS PRÉCIEUX COMMENTAIRES QUE NOUS ALLONS POUVOIR MIEUX VOUS SERVIR.

DE PLUS, SI VOUS DÉSIREZ RECEVOIR UNE OU PLUSIEURS DE VOS SÉRIES HARLEQUIN PRÉFÉRÉE(S) À VOTRE DOMICILE, NE TARDEZ PAS À CONTACTER LE SERVICE D'ABONNEMENT; EN APPELANT AU (514) 875-4444 (RÉGION DE MONTRÉAL) OU 1-800-667-4444 (EXTÉRIEUR DE MONTRÉAL) OU TÉLÉCOPIEUR (514) 523-4444 OU COURRIER ELECTRONIQUE: AQCOURRIER@ABONNEMENT.QC.CA OU EN ÉCRIVANT À:

ABONNEMENT QUÉBEC
525 RUE LOUIS-PASTEUR
BOUCHERVILLE, QUÉBEC
J4B 8E7

MERCI, À L'AVANCE, DE VOTRE COOPÉRATION.

BONNE LECTURE.

HARLEQUIN.

VOTRE PASSEPORT POUR LE MONDE DE L'AMOUR.

COLLECTION HORIZON

Des histoires d'amour romantiques qui vous mènent au bout du monde!

Découvrez la passion et les vives émotions qu'apportent à la Collection Horizon des auteurs de renommée internationale!

Captivantes, voire irrésistibles, ces histoires d'amour vous iront assurément droit au coeur.

Surveillez nos trois nouveaux titres chaque mois!

L'ASTROLOGIE EN DIRECT
TOUT AU LONG
DE L'ANNÉE.

(France métropolitaine uniquement)

Par téléphone 08.92.68.41.01

0,34 € la minute (Serveur SCESI).

Composé et édité
PAR LES ÉDITIONS HARLEQUIN
Achevé d'imprimer en octobre 2003

BUSSIÈRE
GROUPE CPI

à Saint-Amand-Montrond (Cher)
Dépôt légal : novembre 2003
N° d'imprimeur : 36041 — N° d'éditeur : 10219

Imprimé en France